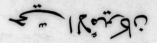

صدر للكاتب:

– الموت بين الأهل نعاس، مجموعة قصص قصيرة، دار المطبوعات الشرقية، بيروت، ١٩٩٠، تصدر قريباً بالفرنسية.

– اعتدال الخريف، رواية، دار النهار، بيروت، ١٩٩٥. (حازت جائزة أفضل عمل مترجم من جامعة أركنساس في الولايات المتحدة). ترجمت إلى الفرنسية والإنكليزية.

– ريّا النهر، رواية، دار النهار، ١٩٩٨.

– روح الغابة، قصة للصغار بالفرنسية، دار حاتم، ٢٠٠١ (حازت جائزة سان اكزوبيري الفرنسية لأدب الشباب).

– عين وردة، رواية، دار النهار، ٢٠٠٢. ترجمت إلى الفرنسية والتركية.

– مطر حزيران، رواية، الطبعة الأولى، دار النهار ٢٠٠٦، الطبعة الثانية، دار الساقي ٢٠١٢ (اختيرت ضمن القائمة القصيرة للجائزة العالمية للرواية العربية عام ٢٠٠٨). ترجمت إلى الفرنسية والإيطالية والألمانية والإنكليزية.

– شريد المنازل، رواية، الطبعة الأولى، دار النهار، ٢٠١٠، الطبعة الثالثة، دار الساقي ٢٠١٥. اختيرت ضمن القائمة القصيرة للجائزة العالمية للرواية العربية ٢٠١٢. حازت جائزة حنّا واكيم للرواية اللبنانية ٢٠١١، وجائزة "الأدب العربي الشاب"، باريس ٢٠١٣، التي تُمنح للمرة الأولى. تُرجمت إلى الإيطالية والفرنسية.

– حي الأميركان، رواية، الطبعة الثانية، دار الساقي ٢٠١٥.

لوحة الغلاف للفنانة اللبنانية زينة عاصي (جزء من اللوحة)

خطوط العناوين: حمدي طبارة

تصميم الغلاف: سحر مغنية

جبور الدويهي

حيّ الأميركان

دار
الساقي

© دار الساقي
جميع الحقوق محفوظة

الطبعة الأولى 2014
الطبعة الثانية 2015

ISBN 978-6-14425-754-8

© لوحة الغلاف: زينة عاصي 2014

دار الساقي
بناية النور، شارع العويني، فردان، ص.ب: 113/5342، بيروت، لبنان
الرمز البريدي: 6114–2033
هاتف: 442 866-1-961+، فاكس: 443 866-1-961+
email: info@daralsaqi.com

يمكنكم شراء كتبنا عبر موقعنا الإلكتروني
www.daralsaqi.com

تابعونا على
@DarAlSaqi
دار الساقي
Dar Al Saqi

- ١ -

خرج عبد الرحمن بكري من غرفة النوم حافياً بعد أن حاول عبثاً العثور على ما ينتعله اتقاءً لبرودة الأرض، فهرول متمايلاً نحو دورة المياه تلبية لحاجته الصباحية التي تزداد إلحاحاً مع تقدمه في السن. لكن فجأة، وفي تكرار لعادة يومية بدأت تتحكّم فيه منذ شرائه التلفزيون الملوّن العريض، وتعتقد زوجته أنه ربما لن ينهاه عنها سوى الموت، توقف عبد الرحمن وسط المساحة الفاصلة بين باب غرفة النوم ودورة المياه الواقعة تحت الدرج المؤدي إلى الطابق العلوي، وراح يتلفّت باحثاً عن آلة التحكّم عن بعد ويده اليسرى تُمسك بسروال نومه المقلّم عند أعلى فخذه، إشارة إلى الزحمة المشتدّة عليه.

يقيم عبد الرحمن هذا، الملقّب بـ"المشنوق" لأسباب عائلية ضاع ذكرها، في حيّ الأميركان نسبة إلى المدرسة الإنجيلية المهجورة التي تمركز في مبانيها المتهالكة طوال سنوات فرع لما يسمى جهاز "المخابرات الجوية" المرهوبة الجانب. يطلّ الحي على نهر المدينة حيث لا حيلة للساكنين للوصول إلى بيوتهم سوى صعود الأدراج العديدة التي ترسم في الحارة أخاديد تشبه سواقي الماء التي يحفرها ذوبان الثلج على سفوح

الجبال، فيتعاونون على نقل الأثاث والمرضى أو يلجأ من تسمح له حاله إلى خدمات عتّال من سوق الخضر القريب. يسكن المشنوق مع زوجته التي تكبره سنّاً وأولاده الخمسة في بيت من الحجر الرملي هجرته منذ نصف قرن عائلة من تجّار سوق القمح المتوسّطي الحال ليستقرّ أبناؤها إلى الغرب، في الأحياء الميسورة للمدينة. ويحتفظ المبنى ببقايا وردة منحوتة هنا داخل مربّع من الرخام فوق الباب الكبير المصنوع من الخشب القطراني أو بقطع تطريز حجري متساقطة هناك على طول كورنيش السطح، تفاصيل غارقة في بؤس حاله الراهنة وتشي بوجود حياة ماضية في حيّ الأميركان هذا قبل أن يجتاحه فقراء الجبال القريبة حيث لم تعد زراعة مشمش أم حسين أو أي أشجار مثمرة أخرى تكفي لسدّ رمق العيال فيها. اضطر المشنوق من ضيق الحال إلى الاكتفاء بالغرفتَين الأرضيّتَين والفسحة التي يجري فيها كل ما تبقّى أثناء النهار، ويتوسّطها درج يصعد إلى الغرفتين العلويّتَين من حيث يصل الصراخ المتقطّع إلى شريكه في الإيجار والسكن، بلال محسن، في وجه أفراد عائلته.

عثر المشنوق على التلفاز بقياس ٢٤ إنشاً من ماركة "فيليبس" مُستعمَلاً على إحدى بسطات العتائق في سوق الجمعة. طلب من البائع توضيبه قدر الإمكان داخل صندوق من الكرتون الأسمر، فرمى فيه هذا الأخير كرات من الألياف الزجاجية البيضاء وكرّاساً لتعليمات الاستخدام خاصاً بفرن للغاز مكتوباً باللغة الصينية.

خذه جديداً، قال له ممازحاً.

تأبّطه المشنوق بصعوبة ثم اضطر، بعد أن كادت ذراعه تُخلع، إلى حمله باليدَين فارتفع الصندوق إلى مستوى أنفه، ما صعّب عليه المسير

فتوقف مرات عديدة لاهثاً وهو يصعد به الأدراج. هناك نزع عنه اللواصق أمام الجميع ملوّحاً بآلة التحكّم عن بعد كأنها غنيمة حرب. ثم بدأ يهندس للتلفاز موضعاً، يركّزه بعد أن يدور حوله أو يديره في مختلف الاتجاهات ويعدّل من مكان الصوفا لتتناسب مع موقعه المتغيّر، إلى أن قرر تثبيته على الدرجة الثالثة من السلّم الداخلي، على أمل ألا يركله أحد من أولاد بلال محسن وهم يهرولون نزولاً. ومن فوره أعطى التلفاز القديم الأسود والأبيض لصغار الحارة الذين فكّكوه ليستكشفوا ما في جوفه خلف شاشته، فتضاربوا بأنابيبه وبعثروا حدائده في كل اتجاه، واتّفق مع آل محسن على أن يدفعوا بدل الاشتراك الشهري لموزّع القنوات الفضائية مقابل نزولهم عندما يشاؤون للجلوس في فسحة المدخل هذه ومتابعة البرامج. احتفظ بالحقّ الحصري في آلة التحكّم، يحملها معه، أو ينساها عمداً في جيب سترته إذا نزل إلى السوق، ليضمّها تالياً إلى مفتاح باب البيت الخارجي، الكبير الثقيل، الذي رفض تجديد قفله كي لا تتكاثر المفاتيح.

وربما بسبب مبالغته في الضغط على آلة التحكّم أو لعيب كامن في التلفاز المستعمل، صار الصوت، بين المرة والمرة، يصدح منه عالياً فور تشغيله أو حتى يرتفع تلقائياً إلى أقصى حدّ من دون أن يتحرّش به أحد. هذا ما حصل صبيحة هذا اليوم حين لم يُمهل المشنوق نفسه وقتاً للتبوّل، بل فضّل قبل ذلك الضغط على الزرّ الأخضر في آلة التحكّم لتخرج من التلفاز أصوات صاعقة منفلتة عن آخرها، خليط صراخ من حناجر متعددة بلغة غريبة وصفير متواصل ورنين جرس وتصفيق.

هكذا أيقظ المشنوق، قبل طلوع الشمس، أهل بيته وجيرانه على

وقع أصوات مباراة في المصارعة الحرّة للنساء تجري داخل بركة من الوحل الملوّن بحضور حشد من الرجال المدخّنين البالغي الحماسة، تنقلها إحدى المحطات الرياضية الأميركية. جاء الضجيج صاخباً ومفاجئاً للمشنوق نفسه. ارتبك بين سعيه للعثور على زرّ خفض الصوت وبين الاستجابة لزحمته التي لم تعد تُطاق. استمر الأمر ثواني كافية لخروج زوجته مرعوبة تسأل من مات. رأته واقفاً وقد تجاوزته الأحداث يعالج الصوت بصعوبة، فعادت إلى الغرفة وهي تدعو الله أن يستر آخر تنا بينما أطلق الأولاد من غرفتهم صيحات استنكار جارحة رغم أنهم اعتادوا، مع سائر أهالي حيّ الأميركان، أذان الفجر من جامع العطّار القريب، فيتقلّبون قليلاً في فراشهم فور طلوعه أو يلعثمون كلاماً في غفوتهم المعكّرة حتى ينتهي.

استيقظت انتصار زوجة بلال محسن في الطابق العلوي على دويّ التلفاز نفسه. قلبها يضرب مثل طبل كبير. أبعدت عنها بحركة عفوية ابنتها الصغيرة المدللة التي تتسلقها كشجرة، لا تغفو إلاّ إذا أوغلت رأسها في صدر أمها لتعود وتشبعها عند الفجر ركلاً وضمّاً عندما يصير الفراشان المتلاصقان الممدّدان أرضاً ملعباً لها، في غياب والدها بلال الذي يهجر البيت لأيام من دون إنذار ومن دون سبب معلن. نهضت انتصار على دفعات. جلست، أسندت ظهرها إلى الجدار الرطب، تنفّست عميقاً، شدّت كتفَيها إلى الخلف كأنما إذا ثبّتتهما تصنع من جسمها سدّاً في وجه تدفّق النهار الهاجم عليها. أغمضت عينيها وهي تبحث في لهاثها عن يد ابنتها النائمة بين الأغطية. رفعت اليد الصغيرة إلى فمها، ألصقت بها شفتيها طويلاً وراحت تتنفس عميقاً. أخذت من

ابنتها روحاً، هواءً. لم توقف قبلتها، لم ترجع اليد إلى دفء الغطاء إلاّ عندما هدأ روعها وعاد قلبها شيئاً فشيئاً إلى انتظامه فناجت:

– يا فتّاح يا عليم!

أخرجت رِجلاً واحدة من تحت اللحاف، رفعتها قليلاً وتفحّصت أظافرها في ضوء الصباح المتسرّب، الطلاء الأحمر لا يزال عالقاً فيها، نتفاً تتركها تذوب وحدها. وضعتها بنفسها هي التي لم تعتد ذلك، أقفلت باب الغرفة عليها ودهنتها، سمعت أن الرجال يحبّون طلاء أظافر الأرجل لكن بلال محسن لم يحبّ. ثم صارت تضعها لنفسها، تشتري لوناً جديداً، تجد لذة في طلائها بتأنّ بعد أن تستحم وتسنح لها الفرصة النادرة لتكون منفردة في البيت مع جسمها.

يحمى النهار، ترتفع الجلبة على أدراج الحارة، تلقي نظرة على الغرفة الثانية حيث ينام أولادها الذكور عسى أن يكون ابنها البكر إسماعيل غافلها وعاد ليلاً لينسلّ في فراشه من دون أن يوقظها. إسماعيل الذي سرق نومها وقلبها واختفى قبل أسبوعَين لم يترك وراءه خبراً. توقظ الباقين، ترفع عنهم اللحف، تمشّط البنت أولاً، توجعها، تُلبسها وهي تصفقها بنعومة على فخذها لتذكّرها بألا تُخرج رجلَيها النحيلتَين من الفتحة الخلفية للحافلة التي تقلّها إلى مدرسة الإيمان الخيرية وتلوّح بهما للمارة. تُلبس الصبي الصغير وهي جالسة وتوصي الأكبر منه سنّاً بأن يُرجعه باكراً إلى البيت، وألا يصطحبه إلى مقهى الإنترنت حيث يمضي وقته في اللعب والنظر إلى الصور الإباحية فيما أخوه الصغير المريض واقف وراءه يتفرّج عليه ويتعلّم منه الرذيلة. تكرر عليه ألا يدع أحداً يسخر منه في الطرقات وأن يكون حارساً له كما كان إسماعيل.

تستكمل حلّتها وتتسترّ بالأولاد في نزولهم الصباحي. يجتازون حاجز المشنوق المتمترس في مقعده الأبدي. يسمع جلبتهم فيرفع بطنه المندلق قدر مستطاعه، ويشيح بنظره عن انتصار وهي تحاول السير مستقيمة هادئة. يتوقّف الرهط أمام التلفاز، يتابع الصغار ولو لثوانٍ مشهداً يدور على الشاشة، تضطر دائماً إلى دفعهم كي ينصرفوا نحو الباب الخارجي. المشنوق يبدل المحطة على عجل ما إن يسمع خطاهم، ينقل إلى "السي أن أن" أو إلى "محطة الصيد والحيوان"، لا يريدهم أن يكتشفوا ما يعرفونه جميعاً مِن أنه يتابع مباريات النساء في المصارعة أو دوران الجميلات الرشيقات إلى ما لا نهاية على محطة الموضة. تشعر انتصار، ما إن تتجاوزه، بأنه عاد يتفحّصها، خصوصاً عندما يكون بلال غائباً عن البيت، يسترق نظرات طويلة إلى مؤخرتها التي لا تكاد ترتسم خلف ردائها الواسع الجديد وهي تشقّ الباب الخارجي وتخرج برفقة موكبها الهزيل.

يمشون صعوداً على درج الحارة كما في كل صباح، درجة درجة، وسط مياه أمطار الليل الفائت، على إيقاع المريض بينهم صاحب الرجل الضعيفة الذي يشرد عن السير المتعِب بما يتوافر له من تسلية في الطريق. يتأمل صانع أباريق القهوة يضرب النحاس الأبيض منذ الصباح الباكر بمطرقته الدقيقة، ومثله تفعل الصغيرة الفرحة بحصولها أخيراً على شنطة مدرسية يمكن حزمها على الظهر. تتابعهم وهم يتسكعون حتى ينعطفوا يميناً عند رأس الدرج فيغيبوا عن ناظرَيها قبل أن يبلغوا الشارع العام من حيث تصل أصوات أبواق السيارات تُطلق لسبب أو من دون سبب. سيتفرّقون هناك، البنت إلى المدرسة، الصبي الثاني إلى ورشة تصليح

السيارات، يأكله الشحم والزيت ويخشن مع رفاق السوء، والثالث إلى جمعية المعوقين. لتبدأ هي رحلتها نزولاً، نحو النهر ونحو المدينة. فسحة استقلالها اليومي.

انكشفت السماء قليلاً، مياه العاصفة لا تزال تسيل على الأدراج رغم انفراج السماء، تجرف نفايات الأحياء العليا وتبعثرها في أرجاء حيّ الأميركان بالتساوي. تلامذة في الصفوف الأولى يصعدون شرذمة عكس الماء، يخبطون أرجلهم فرحين في البرك الصغيرة الوسخة كي يصيبهم الرذاذ في وجوههم ويصيب رفاقهم. دعسات انتصار تضرب في رأسها عندما تلقي بثقل جسمها نزولاً فتتمهل إلى جانب كومة العظام يطنّ حولها الذباب عند باب اللحام وتُكمل إلى آخر الدرجات الواسعة وجسمها مائل قليلاً إلى الجهة اليسرى كأنها تحمل حجراً على قلبها.

تهبط أخيراً في الطريق المستقيم المحاذي للنهر، جسمها ما زال يعاندها فتمشي في اتجاه سوق الخضر ليظهر عليها صاحب الفرن، واقفاً في بابه يهلّ رغيفاً من العجين، يغرّب عينيه في البعيد، ينتظر قدوم أحدهم. لمحها فدلف إلى الداخل، يهرب منها، يتفاداها، لا تحب قلنسوته البيضاء المشغولة بالإبرة ولا قميصه ولا صحته الطافحة على وجهه، يأكل حصة أربعة ويسرب في المساء للنوم في سريره. ينام من دون زوجة. يقال إنهم صعقوا أعضاءه بالكهرباء خلال سنوات سجنه الطويلة فصار عاجزاً. لحقت به، وقفت في باب الفرن صامتة، عيناها تسألان. يعرف مقصدها، من اليوم التالي على اختفاء إسماعيل، صارت تقف كل يوم هنا في وجهه، يبادلها النظرات، وعندما يعجز عن التحمّل يستدير نحو الفرن مدّعياً الانصراف إلى عمله وهو يقول لها:

توكّلي على رب العالمين يا حرمة...

تنظر إليه شزراً، تهزّ رأسها متوعّدة بعقاب ليس بمتناولها، وتستأنف رحلتها في اتجاه سوق الخضر. تناديها الكثرة الصباحية. هنا إذا غابت عن الوعي كما تخشى اليوم، فسيسارع المارة وأصحاب البسطات إلى حملها ورشّ الماء على وجهها لإيقاظها. أناس على الخيرة ينزلون من القرى، مسيحيات سافرات من أخوات الرجال يكاسرن في الأسعار، مزارعون تفوح منهم روائح الأرض الرطبة في موسم الشتاء يلحقون السوق باكراً في المدينة. رجال، مدرسون، موظفون، يأتون فرادى من الأحياء الجديدة المتوسّعة عدواً نحو البحر وهم أكثر أناقة، يعودون إلى هنا بحجة التبضّع، لكنهم يدورون لمجرّد التنزّه في تلك الأحياء الضيّقة التي ولدوا فيها، يعرّجون على خان الصابون ليحملوا معهم نكهة تذكّرهم بطفولتهم، وإذا صادفتهم صلاة الظهر يدخلون أحد الجوامع المملوكية الصغيرة.

تتغلغل انتصار محسن بينهم، يدفعونها دفعاً في الممر الضيّق المتبقّي خلف البسطات الخشبية وعربات اليد التي يجرّها غرباء فقراء يدللون على الخضر الشتوية. قادمون من بعيد، مشوا من بلاد ضاقت بهم هم أيضاً لأيام طوال، وسط غبار دروب لا أشجار فيها، حاسري الرؤوس تحت شمس حارقة. يقفون هنا، يبيعون كل ما يباع. أبناء الأحياء القريبة يقولون عنهم إنهم يأكلون رزق غيرهم، لا ينفقون شيئاً، يتكدسون في غرف صغيرة، ينهضون مع صلاة الفجر، يتجمهرون عند المفارق، يطاردون السيارات، ينادون المارة، يتزاحمون، يتضاربون بقسوة لتأمين عملهم ويجرّون الأحمال كالدواب.

أفلتت من زحمتهم إلى الأرصفة الضيقة حيث أبواب المحال تُفتح عالياً فتُحدث طَرقاً حديدياً، وراكبو الدراجات النارية الصغيرة يقودون في جميع الاتجاهات. سيارة مسرعة ترشّ المارة بمياه المطر المتجمعة في حفرة كبيرة وسط الطريق العام، هناك دائماً من يشتم سائقها عالياً فيردّ عليه السائق بحركة جافة من يده. فكّرت في الصعود في إحدى سيارات الأجرة لتوصلها إلى المقلب الآخر من المدينة، لكنها لا تريد أن تنحشر مع ركّاب يرخون أجسامهم عليها عمداً أو سهواً. تفضّل السير وحدها، رجلاها تستجيبان وقوامها مستقيم يستدرج عيون الرجال حتى بعد بطونها الأربعة. تنتقل من رصيف تسده نفايات منزلية إلى بركة ماء، من رائحة البوريك الطالعة من المصبنة لا يعبأ بها الرجل العجوز الجالس في بابها، إلى رائحة السمك الأبو شوكة من سلة البائع المنادي، حتى طلع صوت الأذان من ظهرها، من جزدانها المعلّق بكتفها.

يا ربّ، إنه إسماعيل!

حاولت الوصول إلى الهاتف، لم تجد فتحة الجزدان، خانها التحكم في يدها، وقع الجزدان أرضاً. توقّف الصوت ونفر الدمع من عينيها. أعطاها إسماعيل الهاتف وأوجز لها التعليمات على ورقة بيضاء، استهلها في أعلى الصفحة بعبارة ﴿باسم الله الرحمن الرحيم﴾.

وأحمله بيدي هكذا؟

غداً أشتري لك جزداناً.

جاءها بهذه الحقيبة السوداء، أثقلتها بمفاتيح لم يعد لها أبواب معروفة، بمقصّ وأدوية فاتت صلاحيتها، أضافت إليها حجراً أملس لمّته من الطريق. بقيت أياماً لا تعرف كيف تتأبط الجزدان حتى اهتدت

إلى تقليد النساء في الشوارع. نسيته أحياناً في البيت والهاتف في داخله حتى اعتادته فصار يُكمل أنوثتها التي تعاودها منذ قررت التوقف عن الإنجاب، وتشعر بأن شيئاً ما ينقصها إذا خرجت من دونه.

مسحت عينيها واستأنفت المسير على الطريق التي كانت ترافق أمّها فيه. تعبر من زقاق صغير خلف مبنى الإطفائية حيث ما زال الرجال بطاساتهم النحاسية اللماعة يلعبون الورق فوق صندوق خشبي وهم ينتظرون الاستغاثات كي يسارعوا إلى التلبية. تنسل بين السيارات المركونة على الأرصفة، بائعو الأشرطة يرفعون أصوات الأغاني الشائعة إلى السماء، ماسحو الأحذية ينظرون إلى أحذية المارة، تهرب من أمام مقاهي الرجال الذين عمّروا النراجيل منذ الصباح الباكر، تجد باب الجبّانة مفتوحاً فتدخل.

تجلس للحظات، تتمنى لو ترتاح طويلاً، وحدها، فوق مصطبة الحجر في ظل أشجار الكينا العالية. تسمع محادثة خلف الأجمة، مشردان يتبادلان أطراف الحديث، أمضيا الليل هنا على الأرجح، يستنكران دخول شبّان ملتحين كسّروا بالمطارق بعض شواهد القبور وساووها بالأرض. يمر بها بائع السبحات الملوّنة يقود بائع اليانصيب الأعمى، يجتازان المقبرة في تجوالهما اختصاراً. شاب وفتاة يمشيان يداً بيد، مشغوفَين، يغيبان في ممر ويعودان أدراجهما من طريق آخر، عالقَين في متاهة أو ربما يطيلان فرصة تلامسهما بالأيدي قبل الخروج إلى الشارع العام تحت أعين الناس. تتمنى لو تبقى هنا فارغة الرأس حتى هبوط الليل. أمها وأبوها ليسا هنا، بل في الجانب الآخر، شمال المدينة، تجادلوا أمامها في مكان دفن والدها، لا مقبرة لهم في المدينة والقرية التي أتوا منها، نسيتهم ونسوها، لم يبقَ إلاّ

مقبرة الغرباء. لحقت به أمها إلى هناك.

يتساقط المطر من جديد خفيفاً منعشاً، تُسرع الخطى نحو الباب المؤدي إلى شارع المصارف حيث يتجمع حشد صغير أمام شبابيك المال، موظّفون يسحبون معاشاتهم. تمشي فتتوسع الأرصفة، تتضاءل أعداد المارة وتتكاثر النساء السافرات، ينتعلن جزمات عالية ويلبسن سترات وسراويل ضيقة ترسم تداوير أجسادهن. سيارة شرطة تطلق صفارة الإنذار فاتحة الطريق أمام قافلة عسكرية إطارات آلياتها غارقة في وحل سميك وتضيء مصابيح سياراتها في وضح النهار. الجندي الجالس إلى جانب سائق الشاحنة الأولى ينام من تعبه سانداً رأسه على يده.

بقي أمامها شارعان نظيفان تتوسطهما أشجار الفيكوس. العاملة في أحد المحال تقف في واجهة العرض لتُلبس مانوكانات الخشب العاريات فساتين على الموضة، تهندمها، تخرج إلى الرصيف لتتأملها ثم تعود لتضيّق عليها فتحة الصدر التي وجدتها واسعة أكثر من اللزوم. تجتاز انتصار الطريق إلى الجهة المقابلة بين سيارات الدفع الرباعي فتصل إلى بيت مخدومها. تفتح الباب الخارجي، تدخل عبر الحديقة الصغيرة وصولاً إلى المطبخ، تتخلى عن جزدانها وتبحث عن خرقة، تبللها بالماء وتحملها إلى الخارج لتنظّف بها مربّع النحاس المثبّت على العمود الأيمن لباب المدخل بعد أن غطّاه وحل العاصفة الأخيرة ومرّغته آثار الأصابع. تحفّه جيداً حتى يلمع النحاس القديم المائل إلى الحمرة وتلمع معه العبارة المحفورة فيه:

"الملك لله. دارة عبدالله العزّام".

شيّده صاحبه بأحجار السرايا العثمانية القديمة عندما تقرر هدمها وورثت انتصار خدمة بيتهم عن أمّها، أم محمود، وأمها وصلت إليهم

بفضل تضحية زوجها حسين العمر في سبيل مصطفى العزّام الجدّ. تطوّع لخدمته في البداية، شاب عاطل من العمل تحمّس، هكذا، لوجه الله، أحبّ مصطفى العزام لأنه كان يحبّ الناس، يفتح لهم بيته ويطمئن إلى أحوالهم فرداً فرداً، يخدمهم من قلبه، فصار يقف في بابه. ينتظره كي يخرج لجولته اليومية في المدينة فيمشي وراءه مع رهط من المرافقين ينظرون إلى المارة بصرامة لتثبيت منعة زعيمهم، يحمل حسين مثل الآخرين خيزرانة أو يخفي موسى في سترته إذا ما اقتضت الحاجة. ثم صادق سائقه الخاص، بدأ يجلس إلى جانبه عندما يكون مصطفى العزّام نفسه جالساً في المقعد الخلفي، إلى أن وقعا في الكمين. أنزلا البيك عند صديق له فأرسلهما في مهمة قريبة لتنهمر النيران عليهما وتخترق رصاصة فم حسين العمر، لكن السائق الذي أصيب هو أيضاً في يديه الاثنتين أنقذهما من الموت المحتم فأكمل القيادة بأسنانه حتى أبعد السيارة عن مرمى المهاجمين الذين اعتقدوا أنهم أصابوا مصطفى العزّام شخصياً. تعرضتما للموت من أجلي. شكرهما البيك في المستشفى وهو ينقدهما مبلغاً من المال فوق نفقة العمليات الجراحية. هكذا توثقت علاقة حسين العمر، أبو محمود، النازل حديثاً إلى المدينة بآل العزّام ودخلت زوجته إلى بيت ابنه عبدالله. بقيت في خدمتهم حتى وفاتها، تتبضّع، تطبخ، تنظّف، تسهر على الصغار وترث الثياب والأحذية المستعملة توزّعها على أولادها. صاروا اليوم جميعاً في ذمّة الله، فرغ البيت، انتقلت زوجة عبدالله بك إلى السعودية لتقيم هناك مع ابنتها، سافر عبد الكريم، الابن الوحيد، إلى فرنسا لسنوات ثم عاد فجأة فاستأنفت ابنتها انتصار رعايته. تأتي إليه كل يوم من حيّ الأميركان، تجتاز المدينة، تصل قبل أن

ينهض من نومه، غريب الأطوار من صغره وزادت غرابته بعد هجرته الطويلة. عاطفي، تخاف عليه ولا تخاف منه.

تغلق باب الشارع وتبدأ بجمع الأوراق والأكياس وعلب السجائر الفارغة، يرميها المارة في الحديقة الصغيرة، من فوق السور، نكاية بالبيت المحجوب تماماً عن أنظارهم. في الماضي، كان يمكن من الخارج استراق النظر إلى الشرفة والمدخل، لكن أشجار الفيكوس المزروعة بكثافة جنباً إلى جنب نمت وتداخلت أغصانها وأوراقها العبيّة والدائمة الخضرة فصنعت حاجزاً خلف سور الحديد بات يعزل "دارة" عبدالله العزام عن حشرية العيون أيضاً.

تعود إلى المطبخ، لا تسمع حراكاً ولا تأتي حراكاً، تنزع حجابها، تمرر يدها في شعرها الأسود الكثيف أمام المرآة التي تعلو المغسلة. مطبخ آل العزام مكان راحتها وحرمتها الوحيد ما دام عبد الكريم بك لا يزال نائماً. تخرج هنا من حياتها، تنظر من النافذة العريضة إلى مربّع السماء الغائمة، من فجوة بين الأبنية التي باتت تحيط بالبيت من كل جانب. تنزع حذاءها، تعمل راضية، حافية القدمين، تفتح شبّاك الصالون كي تُخرج روائح الليل، النبيذ وأشياء مماثلة، تنظّف أعقاب السجائر، ترتّب فوضى الحمّام، تجمع المجلات المصوّرة والوسادات المرمية أرضاً، ويحصل أن تطفئ التلفاز الذي يبقى مضاءً طوال الليل. تصل قبل الظهر فتلقى عبد الكريم وحيداً هادئاً وتغادر عند المغيب وهو لا يزال وحيداً هادئاً. الباقي يحدث بين بداية المساء والفجر. أخبرها ناطور البناية المجاورة أن صراخاً حاداً، أصواتاً يردّ بعضها على بعض تطلع من المنزل في الليل والجيران يشتكون، فطمأنته بأن هذا ليس صراخاً بل أغان.

أغانٍ؟

لم تقتنع زوجة الناطور التي تطلّ خلفه كي لا تفوّتها مجاملته لانتصار، تتنبه إليه كيف لا يحيد نظره عنها في مرورها الصباحي.

صراخ مثل طلوع الروح!

طردت انتصار الفكرة بحركة من يدها وأكملت طريقها. زوجة الناطور ليست واثقة من عفتها فتهمس لزوجها مداورة:

كيف يعيش وحده من دون امرأة؟

تدافع انتصار عنه لأنها تعرف أغانيه. صفعتها في البداية أصوات الرجال العريضة وصرخات النساء الحادة ثم اعتادت ألحانها وصارت تنتظرها. تأخّرت مرة عن موعد إيابها المعتاد فاعتقد عبد الكريم أنه صار وحيداً. أغلق النوافذ، أسدل الستائر وأطلق العنان لمغنّيته. اختلست انتصار نظرة فرأته مرتمياً فوق أريكة والده البرجير في نصف العتمة، مغمض العينَين، منتشياً. ثم استقام بجسمه، وضع كوعه على ركبته، أسند رأسه براحة يده وشدّ تعابير وجهه عن آخرها، يتأمل صورة راقصة الباليه الجميلة التي ساعدته انتصار في تعليقها على الجدار، ملوّحاً باليد الأخرى مرافقاً إيقاع الصوت والموسيقى، منفعلاً يقترب من الانفجار.

قرابة الساعة العاشرة ناداها: انتصار. اختلج قلبها كما في كل يوم تسمع اسمها بصوت صباحي يتجمّع فيه إفراط الليلة الفائتة. ردّت الحجاب على رأسها لتبدأ الصبيحة هادئة. إنه يوم الثريات. هي واقفة على سبية الحديد تنظّف الثريتَين الكبيرتَين اللتين تزيّنان صالون آل العزّام، مفخرتهم منذ انتقالهم من بيتهم القديم في سوق المدينة إلى هنا. تلمّعهما مرّة في الشهر، تقليد قديم أوصتها به أمها. تفكّ قطع الكريستال واحدة

١٨

واحدة، كذلك المصابيح الشموع الصغيرة تنزعها، تمسحها وتنظر الى الضوء يتلألأ فيها من جديد، تعيد ربطها وتُكمل باجتهاد مستخدمة عدداً كبيراً من الخرق كي لا تمسح الغبار بالغبار. تنظّف وتخشى الدوار وهي معلّقة فوق، وهو في الجهة المقابلة، قرب النافذة، قرب نور الشمس المتسرّب إلى الداخل، يرتشف القهوة جرعات لا تنتهي، وينكبّ فوق واحدة من الأشجار التي حملها في حقائبه من باريس.

البونزاي.

علّم انتصار أسماءها وكيف تغلي ماء الشرب وترقّده لأربع وعشرين ساعة قبل أن تسقيها. يلاحق ما يشذّ من أوراقها، يربطها بشرائط الحديد فلا تُسمع في البيت سوى الأوبرا الخافتة، يعاكسها بين الحين والآخر اصطدام كريات الكريستال بعضها ببعض أو صوت المقصّ ينقّي الأغصان الصغيرة في شجرة الشاي الصينية.

سكون طويل قطعه صوت الأذان من جديد.

﴿رَبَّنَا آمَنَّا بِمَا أَنْزَلْتَ وَاتَّبَعْنَا الرَّسُولَ فَاكْتُبْنَا مَعَ الشَّاهِدِينَ...﴾

طلع من المطبخ، من جزدانها. جمدت حيث هي، فوق، نظرت نحو عبد الكريم الذي ابتسم ما إن أدرك أن ما يسمعه ليس سوى صوت الهاتف المحمول.

توقّف المقرئ. فسحة تأمّل بين آيتَين.

﴿وَمَكَرُوا وَمَكَرَ اللَّهُ وَاللَّهُ خَيْرُ الْمَاكِرِينَ...﴾

قفزت من أعلى درجتين إلى الأرض، تعثّرت ثم نجحت في الوقوف وقد التوى كاحلها فوصلت إلى المطبخ عرجاً لا يصدر عنها سوى لهاث.

﴿... وَجَاعِلُ الَّذِينَ اتَّبَعُوكَ فَوْقَ الَّذِينَ كَفَرُوا إِلَى يَوْمِ الْقِيَامَةِ...﴾

انقطعت الآية لكن انتصار كانت فتحت الباب وخرجت وهي تنادي بأعلى صوتها "آلو، آلو، إسماعيل، إسماعيل، آلو، حبيبي..." فاختلط صراخها بضجيج محرّك آلية حفر ضخمة تعبر في الطريق المجاور.

عادت فاشلة، تتلمس شاشة الهاتف، وعاد السكون إلى صالون بيت العزام، لا يأتي عبد الكريم بصوت ولا إشارة. منذ اختفاء إسماعيل يخطر على بالها الاستنجاد به. لم يقع أهلها في مشكلة إلاّ وتوجّهوا إلى آل العزام. بقي شقيقها الأستاذ في المدرسة الرسميّة يتقاضى بواسطتهم معاشه الشهري عن آخر ليرة حتى بعد أن ساءت حاله الصحيّة وأدخل المستشفى وانقطع نهائياً عن التعليم. ألا يقف شقيقها محمود في باب دكّانه عندما تشتد معركة الانتخابات النيابية ويتناوب الأنصار المتحمسون من هنا وهناك في محاولة استمالته، يرفع يديه عالياً ويصرخ ليردّ عنه الوعود وليسمعه كل من في الجوار:

الكرامة أغلى من المال والحاضر يُعلم الغايب، نحن نخصّ آل العزام...

في الطريق وهي قادمة من حيّ الأميركان، تعقد النيّة على مفاتحة عبد الكريم بموضوع إسماعيل. لكنها تصرف الفكرة من رأسها ساعة تصل البيت فتراه مستيقظاً منتفخ الوجه ناشف الحلق، يشرب كوب الماء الذي يضعه قرب رأسه قبل أن ينام، وترى عند دخولها غرفته لترتيبها شراشف نومه مجعلكة كأنها خاضت في الليلة الفائتة معركة قاسية، وتكتشف فوق مخدّاته آثار بقع من ريقه الليلي الممزوج بالنبيذ الأحمر، فتضطر إلى تغيير أغطيتها كل يوم. تبدلها وتطيل ترتيب زواياها وتمسد الشراشف بيدها حتى تنبسط نتوءاتها، ينبض قلبها بقوة إن دخل الغرفة ورآها تلامس أغطية مخداته بعد استبدالها.

عبد الكريم بك تغيّر أيضاً، انقبض عنها منذ مدة. كأنه فجأة، يوم دخولها البيت راضخة لرغبة إسماعيل مرتدية هذا اللباس البني اللون السميك والواسع، لم يعد يراها، أضرَب عنها، نزل ستاراً بينهما. قبل ذلك، وفور عودته من باريس، كان يجالسها في المطبخ، يكملان معاً تقطير ماء الزهر، اشترى كركة صغيرة كما نصحته خالته وقطف معها الزهر في شهر نيسان الماضي من أشجار الزفير الأربع المتبقية في الحديقة، فصارت انتصار تعود مساءً إلى حي الأميركان ورائحة عطر الليمون في ثيابها. يعرك عبد الكريم عجينة حلاوة الأرز، هو الذي استعاد في هجرته الباريسية الرغبة في حلويات مدينته، وانتصار ترش فوقها وفوق يديه الطحين ثم السكر الناعم، يأكلان معاً ما يُعدّانه معاً، وقوفاً أمام نافذة المطبخ، ثم ينصرف إلى بيانو العائلة الذي يشتكي دوماً أنه في حاجة إلى دوزنة وتنصرف هي إلى الجلي والغسيل.

لن تصعد اليوم مجدداً إلى الثريات، تخشى الوقوع من أعلى السيبة. تبقى جالسة غير قادرة على أعمال البيت، تتنهّد عالياً علّه ينتبه إليها، لكنه لا يرفع رأسه عن شجرة الشاي. أخرج حقنة وسحب بها سائلاً أصفر من قارورة صغيرة تشبه القارورة التي كانت الممرضة في مستوصف الرحمة ترفعها في الهواء لتأخذ منها البنسلين، وانتصار الصغيرة التي ترافق أمها تغمض عينيها كي لا ترى الفتاة تضرب الإبرة في فخذ أم محمود الأبيض المترهّل. يد عبد الكريم ترتجف قليلاً وهو يحاول شكّ الإبرة في جذع الشجرة النحيل ليحقنها فيه على مهل. تتابعه، تؤجل استنجادها به حتى ينتهي من عمليته هذه، لكنه لا يضع الحقنة جانباً حتى يأخذ عبوة الرذاذ ويروح يلمّع بها الأوراق الخضراء التي لا تذبل.

تمسك انتصار رأسها بين يديها وتنظر إلى بقايا طلاء الأظافر على أصابع رجلَيها، تشدّ ركبتَيها كي لا ترتجف ثم ترمي بنفسها:

ابني الكبير يا بك...

لم ينتبه أن الكلام موجّه إليه، فحزمت أمرها، تقدمت نحوه وهي تشير إلى الهاتف بيدها:

هذا إسماعيل!

ما به؟

أخذوه.

الى أين؟

لا أعلم. بيني وبينه هذا التلفون، يرن ولا أسمع صوت ابني. خائفة كثيراً عليه!

ترددت قليلاً وأضافت بغصّة:

إسماعيل سندي الوحيد.

خفضت رأسها وأكملت:

يحبّك كثيراً يا بك، عندما توقف عن المجيء إلى هنا، صار يسألني دائماً عن صحتك...

وأكملت بحياء:

... وعن أشجارك! لا ينسى أحاديثكما ويقول إنك إنسان طيب.

مدّ عبد الكريم يده مطالباً انتصار وملحّاً بحركة من أصابعه أن تعطيه الهاتف الجوّال.

نوكيا ٨٨٩٠ بغلاف بلاستيكي أحمر فاقع اللون. أبسط الأنواع وأرخصها. سألها ما هو رقم هاتفها هذا، فلم تفهم مقصده ثم أجابت

بالنفي. دخل إلى محتويات الهاتف فوجده فارغاً إلاّ في باب "الاتصالات الواردة"، رقم واحد تتكرر محاولاته مع تواريخها وتوقيت المحاولات، وكلها في الأربع والعشرين ساعة المنصرمة. الرقم خارجي ويبدأ بـ٠٠٩٦٤. بحث عبد الكريم عن قلم وسجّل الرقم أمامه من دون أن يعرف ماذا بمقدوره أن يفعل للمساعدة في العثور على إسماعيل، وردّ لها الهاتف وهو يقول:

سوف أحاول.

أكملت انتصار نهارها، أعدّت الأكل على مشتهى عبد الكريم، شغّلت الغسّالة بفوج من ثياب أولادها التي تحملها معها أحياناً إلى بيت العزّام وتعود بها نظيفة إلى حيّ الأميركان. حاولت الوصول إلى ثمار شجرة الكاكي العالية لتقطفها قبل أن تهترئ على أمّها في الحديقة، دارت حول البيت لتنزع الإعلانات التجارية وأوراق النعي التي تلصق يومياً على الجدار الخارجي، اقتنت سكيناً عريضاً لهذا الغرض، ومع ساعة المغيب، أغلقت الباب المفضي إلى الشارع خلفها وعادت من حيث أتت، تسلك من باب الفأل في العودة أيضاً طريق أمها.

الليل يهبط بغتة والمدينة تدخل في سباتها اليومي. شوارع السوق مظلمة، حرّاس البلدية ما عادوا كما في أيام صباها يجولون هنا ليلاً ويقلبون أقفال المحالّ، يدورون من جديد ليتأكدوا من أن أحداً لم يعبث بها ثم يصفّر بعضهم لبعض بين الحين والآخر تأكيداً أن قطاعهم على ما يرام. شيء تغيّر في الهواء. قلق صغير يعاودها، تحسّباً من إيذاء قد يصيبها وترفض البوح به. صحيح أنها لم تتعرّض مرة لتحرّش، لم يُسمعها المارة من الرجال كلاماً رديئاً، لكنها صارت تتلفّت ما إن تنتبه لوقع أقدام ترنّ

من بعيد في الظلام فوق بلاط الأسواق، فتبطئ الخطوات أو تتوقف أمام واجهة لا تزال مضاءة حتى هذه الساعة، تنتظر حتى يتجاوزها الرجل الذي يمشي وراءها قبل أن تكمل السير بدورها من دون أن تنظر إلى وجهه. لم تكن بلغت العاشرة من عمرها عندما كانت ترسلها أمها وحدها لتشتري البليلة للغداء من عند الفوّال في سوق الصاغة، يسجّل على دفتره من دون أن يطلب منها مالاً، لأن والدها سيمّر عليه، يأكل الفول بطحينة ويحاسبه. تعبر الجسر عائدة وفي طريقها تسدّ من جوعها قليلاً، تفتح العلبة وتسرق بأصابعها بعض حبوب الحمّص الساخنة قبل أن تصل بها إلى البيت.

تعرف كل شيء هنا عن ظهر قلب، كل باب وكل ممر ضيّق تواعدت فيه مع مراهقين من سنّها، يمكنها أن تمشي مغمضة العينين، تلقي السلام على بائع النحاسيات، تعرّج على الفرن أو على الصيدلية، يناديها بعض الباعة "أم إسماعيل"، يسايرونها بالأسعار. ثم بدأ يتكاثر الغرباء، أناس لم ترَ وجوههم من قبل، يسكنون في بيوت مهجورة ويهيمون في شوارع الليل، فلا ترتخي أعصابها، لا تطمئن إلاّ عند عبورها إلى ضفة النهر الأخرى حيث تبدأ صعود أدراج حيّ الأميركان الموصلة إلى بيتها.

هناك سمعت الهرج من الخارج. ضحكات وأصوات لا عهد لها في هذه الساعة المتأخرة. دقّ قلبها، عاد إسماعيل ويفرحون به! لا، كان سكن عائلتَين معاً في منزل واحد ضيّق ومتداع حظي باهتمام مراسلة إحدى المحطات التلفزيونية التي تأثرت بتكرار الكلام حول البؤس المستشري في أحياء المدينة القديمة وعلاقة ذلك بالعنف وازدهار الحركات الأصولية. فتجمّع سكّان الطابقين والجيران في الردهة يتابعون

التحقيق الذي أبلغتهم المراسلة الجميلة الوجه والقصيرة القدّ، كما لا تظهر في الصورة، عن موعد بثّه في نهاية نشرة أخبار الساعة الثامنة. الكبار منهم يعارضون تعليقات الصحافية المتفاجئة بكل تفاصيل المشهد، ويهتف الجميع فرحاً عندما ظهر على الشاشة ابن بلال محسن الأصغر ينزل بصعوبة من الطابق العلوي وهو يتّكئ على الجدار فتتوزع أنظارهم بين الدرج الظاهر على الشاشة والدرج الحقيقي الماثل أمامهم. يختلط كلامهم بكلام زوجة المشنوق التي تعرّف المشاهدين على أولادها وأماكن نومهم، فيما المصوّر يتوقف عند بقع الماء المتسرّب على الجدران بفعل المطر، لتنتهي سلسلة اللقطات بتصفيق الحاضرين طويلاً، قبل انصرافهم إلى بيوتهم، وبصورة المشنوق نفسه متلحّفاً بعباءة أخرجها لمناسبة التصوير وهو يجلس بكل استدارته وحيداً على الأريكة يتابع مبتسماً برامجه المفضّلة على شاشة تلفازه.

بعد منتصف الليل، وبينما انتصار محسن لا تزال تتقلّب في فراشها مستجدية النوم من أحلام ابنتها الصغيرة، كان عبد الكريم العزّام، في غمرة سهره وحيداً مع موسيقاه العالية وتأمله المتقطّع لراقصة الباليه المفجوعة النظرات وارتشافه كؤوس الويسكي السينغل مالت القصيرة التي يمزجها بدمعة ماء واحدة والممهدة لإغفاءته التي يعرف أنها لن تأتيه قبل طلوع الضوء، يحاول مرة بعد مرة الاتصال من هاتف المنزل، وهو من أوائل الهواتف الثابتة في المدينة، بالرقم المنقول أمامه من داخل هاتف انتصار. لم يأته في المحاولات العشر الأولى جواب، بل فقط طنين الخطوط المقفلة. حاول مرة أخيرة فرنّ جرس الهاتف في الطرف الآخر، فتح أحدهم الخط، ناداه عبد الكريم لكنه لم يلق منه إجابة.

- ٢ -

رأى عبد الكريم العزّام حيّ الأميركان للمرة الأولى من أحد مرامي القلعة الصليبية. كان بصحبة شقيقته في ختام جولة سلّمهما فيها والده إلى دليل سياحي يشبه رجال الشرطة بقبعته الكحلية وبزّته الكاكية وحذائه اللماع. أراده أن يعرّفهما على البلد كما يسمّي المدينة. ساحا يوماً كاملاً كالأجانب، توقّفا أمام صانع الطرابيش في خان الخياطين، صادفوا جمهرة توزّع البيانات ويهتف فيها شاب غاضب يعتمر كوفية فلسطينية حالت دون دخولهم الجامع المنصوري الكبير. تعبت أرجلهما الصغيرة عند وصولهما إلى أعلى جدران القلعة التي شيّدها ريمون دو تولوز بالحجر الرمليّ من تبرعات الحجّاج المسيحيين بعد أن يئس من الحصول على حاكمية القدس. ضجرا من تتالي القاعات الباردة التي سكنت فيها الملكة مرغريت دو بروفانس مع حاشيتها في عام ١٢٥٠، وكلّها أسماء يلفظها شرطي السياحة بلهجة فرنسية صحيحة وهو يلوّح بخيزرانه. لم يتوقّف عبد الكريم سوى أمام مدفع صغير يحشونه بارودا فينفجر صوته فوق سماء المدينة ساعة يحين موعد الإفطار في شهر رمضان. وكان سيطالب من ضجره وتعبه بالعودة إلى البيت عندما صرخت شقيقته:

هناك! بيت أم محمود...

وهي تشير بإصرار إلى الجهة المقابلة، كما يهتف البحّار لليابسة المترائية له عند خطّ الأفق البعيد. استسلم الدليل للعبتهما فهُرع عبد الكريم بدوره إلى واحدة من فتحات القلعة المطلّة على النهر ليظهر له حيّ الأميركان فجأة مثل صورة ملوّنة ضمن إطار من حجر. بيوت مكدّسة ومتلاصقة تسد الأفق، شرفات مليئة بثياب ملونة منشورة على حبال الغسيل، أسراب حمام تدور في السماء الصافية وشجرة عملاقة كثيفة حاربت طويلاً بأذرعها لتعيش ثم تنمو ثم تنفجر هكذا وحيدة بلونها الليلكي الربيعي في غابة الباطون والحجر.

فور نهوضه في اليوم التالي، سارع عبد الكريم إلى المطبخ لإخبار أم محمود أنه يعرف أين تسكن وأنه رأى بيتهم، فوعدته باصطحابه إلى حيّ الأميركان. انتظرت يوم عطلة ليس عنده فيه واجبات مدرسية واستغلت غياب والدته لعيادة قريبة لها في المستشفى في بيروت لتطلب له الإذن من والده عبدالله بك العزّام، مستفيدة من العاطفة المتوارثة أباً عن جدّ. كان مرتدياً روب النوم الساتان فوق ثيابه، جالساً على أريكته البرجير اللوي كانز التي ربما لم يجلس عليها أحد غيره يوماً حتى وفاته، مُطلقاً الراديو بصوت أعلى من العادة.

أشار بإصبعه إلى أم محمود بأن تصمت وألا تأتي حراكاً إلى أن تنتهي أغنية "القلب يعشق كل جميل" التي كانت تُبثّ للمرة الأولى من إذاعة القاهرة، فوقفت إلى جانب الباب تصغي بتأثر اعتقدت أنه واجب عليها مسايرة لعبدالله بك السابح في غبطة، بين الدمع والابتسام، يستحيل عليه معها رفض طلب لأي كان. بعد أن ارتوى من أم كلثوم، هزّ رأسه

موافقاً على زيارة عبد الكريم إلى حيّ الأميركان، واكتفى بتذكير أم محمود بضرورة اصطحاب السائق معهما.

جلست أم محمود نصف جلسة لا تريد أن تطأ بثقل جسمها مقعد الجلد الأسود الفائح الرائحة بينما يتطلّع عبد الكريم إلى الأمام متحرّقاً للوصول، وهو يطلب من حسن العويك أن يُسرع، وهذا الأخير لا يجرؤ بل يتمتم وهو يقود في الشوارع الضيّقة المكتظة، مستاءً من كون سيارة فخمة كهذه، الجاغوار "اي تايب" موديل العام نفسه، ١٩٧٢، التي لم ينجح عبدالله بك حتى يومه ولن ينجح على الأرجح، بتزيينها بلوحة مجلس النواب الزرقاء، ليست معدّة لدخول هذه الأمكنة الضيّقة والخربة. انتهى الحرص بحسن إلى عدم مرافقتهما، مفضّلاً ملازمة السيارة التي أوقفها في سوق الخضر عند أسفل الحيّ خشية أن يجرّح أحد الصبية حديدها السماوي اللماع، لكنه غفا بعد قليل خلف المقود وهو ينتظر عودتهما.

بدأ عبد الكريم صعود الأدراج إلى جانب أم محمود التي كانت أخبرت الجيران بزيارة حفيد مصطفى العزّام إلى حيّ الأميركان. وعبد الكريم لا تفارقه دهشة الاكتشاف الأولى، يلتفت إلى أسوار القلعة الصليبية باحثاً عن النافذة التي أطلّ منها على الحارة قبل أيام. ثم بدأ يلفت انتباه أولاد الحيّ الذين فرغوا التوّهم من تفكيك لعبة فتاة توزّعوا في ما بينهم أعضاءها البلاستيكية بعد أن وجدوها مرمية، عارية وصلعاء. تهامسوا باسمه وساروا خلفه صعوداً، بينهم رفاق قريبون اثنين اثنين يلفّ كل منهما ذراعه خلف رأس زميله وهم ينظرون بغرابة إلى من بدا لهم مصغّر رجل تعمّدت أم محمود إلباسه أفضل ما في خزانته من

ثياب. هدية خاله المعتاد السفر بين المدن الأوروبية، نسخة كاملة عمّا يُفترض بصغار الأغنياء الإنكليز ارتداؤه في خروجهم للصيد أو لركوب الخيل: طقم الغولف مع حمّالات السروال الذي يصل إلى مستوى الركبة حيث يلاقي الجوارب الطويلة بالمربّعات والقميص الأبيض وربطة العنق البابيون والحذاء الضيّق إضافة إلى كاسكيت ليّنة من قماش الثوب نفسه. اعتقد عبد الكريم أن أولاد الحارة يمشون في سبيلهم حتى ظهر في أعلى الدرج شابان عريضَا المنكبَين يحملان عجوزاً نحيلاً شبه نائم جالساً على كرسيّ وهما يفتحان لهما طريقاً بكلمة دستور، دستور، نزولاً. يأخذان العجوز إلى ضفة النهر. وقف عبد الكريم مشدوهاً ينظر إليهم، ولما ابتعد الصبية من مجال رؤيته كي يتمكن من متابعة المحمل الغريب حتى اختفى، انتبه إلى أن أولاد الحارة يحدّقون إليه وليس إلى العجوز المتمايل في الهواء كعروسة القماش وهم يعرفونه ويشاهدونه كل يوم محمولاً في الهواء هكذا كي يتشمّس لساعة من الزمن ويتسلّى بمنظر الباعة والمارة.

سألت أم محمود فور وصولها إلى البيت عن انتصار، ابنتها الصغرى الأقرب سنّاً إلى عبد الكريم. طلبت من كبير أبنائها أن يأتي بها على جناح السرعة أينما وجدها، وبدأت تشكو منها ومن شيطناتها. هكذا سمع عبد الكريم بانتصار قبل أن يراها. رفقتها هي التسلية الوحيدة التي يمكن أن توفّرها له أم محمود إضافة إلى شراب الجلاّب بالثلج المبروش الذي سارعت إلى تقديمه إليه بعد أن أجلسته على أفضل مقاعد الردهة، الكنبة الوردية اللون التي بدأ قماشها المخمل الثمين يتنثر هنا وهناك. تحلّق حوله من استطاع من أولاد الحارة التسلل إلى داخل البيت، يستفيدون ممّا

أعدّته أم محمود لابن مخدومها من فواكه، وحيث سرعان ما نسوا سبب دخولهم وراحوا يتضاحكون سراً، فلم يعيروا انتباهاً لعودة محمود وهو يمسك بانتصار من كتفها كي لا تفرّ كما فعلت قبل قليل واضطرّ إلى الجري وراءها. دخلت انتصار الصغيرة غاضبة حرونة تخفي وجهها بحياء في لباس شقيقها الذي قادها إلى الجلوس بجانب عبد الكريم حيث تركت لها أمها الكرسي فارغاً. أحنت رأسها وأبقت عينيها مغمضتَين ولم تستدر نحو عبد الكريم ولم تجبه عندما بادرها بالسؤال أين كانت، بل رفعت كتفها اعتراضاً على إيقافها عن ألعابها. وعندما رضخت لما هي فيه، نظرت إلى الجالس بقربها من طرف عينها فرأت زيّه الغريب وشعره اللمّاع المدهون بالبريل كريم. اقتربت منه وهمست في أذنه من دون مقدمات أن يعيرها القبعة التي نزعها عن رأسه احتراماً. وعدها برحلة في سيارة والده إلى شاطئ البحر، فأخرجت يدها التي أصرّت على إخفائها خلف ظهرها منذ دخولها ومدّت إليه تفّاحة مغمّسة بالسكّر الأحمر القاني. نظر نحو الحاضرين، تردّد ثم أمسك بالتفاحة من قضيبها وصار يتأملها ثم قرّبها من فمه، فأوقفته انتصار معترضة أنه يجب ألا يقضمها بل أن يكتفي بلحسها فقط. إنها شراكة بينهما. ضحك الأولاد فارتبك عبد الكريم وعينه في التفاحة، فأنقذته أم محمود، أبعدت انتصار عنه وأعطته التفاحة كاملة وقد علق عليها بعض الغبار، فاحتفظ بها ولما عادت به أم محمود نزولاً إلى السيارة راح يلحس ويقضم بسرعة كي لا يوصلها معه إلى البيت. هكذا رجع عبد الكريم العزام من زيارته الأولى هذه إلى حي الأميركان بزيّه الإنكليزي الغريب وعلى طرف فمه أثر من صبغة التفاح القانية أشبه بما تتركه قبلة شهوانية من فم

امرأة أغرقت شفتيها بالأحمر السميك.

كان يشتهيها كثيراً، تفاحات السكّر هذه، وصار يرغب فيها سرّاً بعد أن طلبها من أمه فانفعلت مقلّدة صانعها كيف يغطّس التفاح بالقطر الملوّن فيحوم عليه الذباب طوال النهار.

ماذا تجد فيها؟

تسأله وهي شامخة أنفها، لا تفهم كيف يتعفف ابنها عن حلاوة الجبن يوصون عليها مشبشلة من عند أفضل صناعها في طلعة الرفاعي، وعينه في حلوى الفقراء هذه التي يراها مرصوفة في منقل البائع الواقف هزيل الجسم مستقيماً كل صباح عند زاوية شارع المكتبات. حمراء فاقعة في كل الفصول، والى جانبها رفّ من عصافير السكّر الزاهية الألوان يُصفّر بها الصغار إلى أن يتعبوا فيأكلونها قطعاً أو يمصمصونها فتذوب في أفواههم على مهل.

يشتهي كل ما يراه من خلف زجاج شباك حافلة المدرسة التي ألحقوه بها بعد أن اشتد عوده وفضّل له والده الاختلاط برفاقه، فتوقّف حسن العويك عن إيصاله بالجاغوار ثم النزول والدخول وراءه من باب الأساتذة حاملاً عنه حقيبة الكتب الثقيلة. يصعد عبد الكريم إلى الباص وتكون المقاعد شبه خالية لأن السائق يبدأ جولته من البعيد إلى القريب، من البيوت الجديدة وسط بساتين الليمون باتجاه المدرسة القائمة في محاذاة السوق القديم. يختار الجلوس إلى جانب النافذة ويبدأ بسماع قلبه يدقّ بسرعة ما إن تقترب الحافلة من سور مدرسة الراهبات وخلفه المباني التي حوّلها الإيطاليون إلى مستشفى في الحرب العالمية الثانية. يريد رؤية الفتاتين الشقراوَين الفرنسيّتَين وهما في طريقهما سيراً على الأقدام من

بيتهما القريب إلى المدرسة، تحمل الكبرى فوق رأس الاثنتين مظلّة بيضاء في الصباحات الماطرة. آه لو يسمع ماذا تهمس الصغيرة ضاحكة في أذن شقيقتها وهما متجهتان إلى مملكتهما الزاخرة حيث لن يمكنه أبداً الدخول بل سيبقى منفياً عنهما خلف زجاج الحافلة الذي يغسله المطر. يغصّ وهو يرنو إلى جدائلهما تتراقص في الهواء، يحكى أن أمهما تربط لهما شرائط ملونة، لكل يوم من أيام الأسبوع لون. ترتديان زيّ المدرسة المقلّم لكنه رآهما مرة واحدة وقد لبست كل منهما فستاناً خفيفاً بألوان فرحة يكشف عن بياض الذراعَين وجزء من الكتفَين. وفي ذلك اليوم الحار، ولفرط ما حدّق إليهما شعر بأن الكبيرة انتبهت إليه أخيراً فرمقته مرتين بنظرة سريعة لم يتبيّن له إن كانت حشرية أو انجذاباً. فبقي معلّقاً لا يدري هل يكتفي بمنظرهما العابر، حياته وحياتهن لا تلتقيان ولو أنهما تسكنان في شقّة على بعد دقائق من بيته، أم يفتعل مناسبة للالتقاء بهما عن قرب. يسأل شقيقته إن كانت تعرفهما فتدعوهما إلى حفلة عيد ميلادها مثلاً بدل صديقاتها من أصحاب الوجوه المليئة بالبثور أو ممن يضعن مقوّم الأسنان الحديدي الذي بدأ الأطباء بو صفه كيفما اتّفق. لكنه وهو يبدأ خططاً من هذا القبيل سرعان ما يُدرك أن رغبته في التقرّب تشمل الشقيقتين معاً وأن انفصالهما سيفقد الفكرة روعتها، وأنه في كل حال سيتلعثم حتماً في ما يمكن أن يقوله لهما.

لا يعزّيه عن منظرهما الصباحي الساحر وغربته عن عالمهما البعيد المنال سوى وصول حافلة المدرسة التي بدأت تمتلئ بالصبيان إلى وسط المدينة المستيقظة بصعوبة، ومن هناك إلى شارع صالات السينما القريب حيث يضطر السائق إلى الإبطاء أو حتى التوقّف أحياناً وسط زحمة

السير، فيكون أمام التلامذة متّسع من الوقت لتأمّل الملصقات والتواعد للعودة إلى حضور الأفلام في عطلة نهاية الأسبوع. يدلّ بعضهم بعضاً خلسة إلى مدخل بناية معتم يقولون إنه يؤدي إلى "كباريه" تستقبلك فيه الفنانات بعد العاشرة ليلاً، ويعرفون أن أفلاماً إباحيّة تُعرض خلسة في الصالة الصغيرة في الطابق السفلي. سيعودون إلى هنا أيام العطلة، ما عداه هو المحروم من مشاهدة فيلم في إحدى هذه الصالات والتمتع بالعتمة وحيداً، لاقتناع والده الراسخ بأن السينما صارت مرتعاً لأولاد الشوارع يصفّرون ويهتفون بالبذاءات. فصار عبد الكريم يحسد من يراهم أحياناً، ممّن يعرفهم أو لا يعرفهم، في طريق العودة من المدرسة حوالى الساعة الرابعة والنصف، وهم يخرجون من صالة العرض وعيونهم زائغة عند وقوفهم المفاجئ في الضوء وقد شبعوا من مفاتن جينا لولو بريجيدا في "مساء الخير سيدة كامبل" ومن جاذبية غريغوري بيك في "الطلقة الأخيرة". وإذا شعروا بجوع عرّجوا على بائع المغربية في الجوار، فيحملون رغيفاً من الحبوب الساخنة الطالعة من "الحلّة" التي لا تنطفئ تحتها النار.

كان منظوراً محروساً تلاحقه سيرة جدّه مصطفى وتمثاله الذي بقي لسنوات طويلة واقفاً عند مدخل المدينة وقابضاً على وثيقة إعلان الاستقلال الوطني بيده اليمنى. أجلسوه في يوم إزاحة الستار على كرسي في الصف الأمامي، رجلاه لا تصلان إلى الأرض، وحوله مرافقون تطوّعوا لحمل الشماسي السوداء فوق رؤوس الوزراء الذين يتصبّبون عرقاً في بزّاتهم الرسمية. علقت الستارة عند محاولة شدّ الخيط نزولاً، فقفز شاب في الهواء وأزاح القماش الأبيض عن وجه مصطفى

العزّام الحادّ القسمات والناظر صوب البحر، وقد أخذ عليهم أخصامهم السياسيون قبولهم بأن يدير والدهم ظهره للمدينة. أخاف عبد الكريم التصفيق والهتاف ما إن اعتلى المنبر شاعر رفع سبابته الطويلة المقوّسة في الهواء وصرخ: "باقٍ وأعمار الطغاة قِصارُ!" كمطلع قصيدة توّج بها حفل كبير العائلة المنسوبة في الوثائق التاريخية إلى تنوخ بن قحطان بن عوف بن كندة بن جندب بن مذحج بن سعد بن طي بن تميم بن المنذر بن ماء السماء، كما استفاض به عريف الاحتفال. بعد الخطب، دعيت الشخصيات القادمة من العاصمة خصيصاً للمناسبة إلى وليمة أسماك طازجة في مطعم "الشاطئ الفضيّ" أسال في بدايتها عبد الكريم حبر الصبيدج على قميصه الأبيض فحرد ونفر عائداً بمفرده سيراً على الأقدام والبقع السوداء على صدره إلى البيت، حيث وجدوه بعد تقفّي أثره في غرفة النوم مستلقياً بطوله وقد دفن رأسه تحت المخدّة، وبقي في تلك الوضعية حتى صباح اليوم التالي، رافضاً كل النداءات لارتداء ثياب النوم أو حتى لخلع حذائه.

تحولت رائيّة الشاعر الحلبي الثائر إلى قطعة من مجوهرات العائلة، تبرّعت إحدى الصحف المحلية بطباعتها في كتيّب وتوزيعها مجاناً بآلاف النسخ على المارة وروّاد المقاهي، كما بادر أحد الخطّاطين إلى نسخها مذهّبة بالحرف الكوفي ووضعها ضمن إطار كبير عُلّق على جذع شجرة في إحدى الساحات العامة. حفظها عبدالله بك عن ظهر قلب بالرغم من طولها، يُجلس عبد الكريم فوق رجله المعافاة ويروح يكرر على مسامعه أبيات المديح في جدّه كأنها قيلت في شخص غريب، ثم يقلّبان معاً صفحات ألبوم الصور السميك وعبدالله يعرّف ابنه على الوجوه:

هذا جدّك!

يقول له وهو يدلّه على مصطفى العزّام يترجّل من القطار في مدينة الإسكندرية وهو يردّ التحية لجمع من مستقبليه، بعضهم باللباس العسكري.

ومن هذا؟

هذا أنت!

يجيبه عبد الكريم الصغير بعد أن يصفن ويمد يده إلى وجه والده، يتلمّس أنفه وخدّيه ويتأكد منه وهو يقارنه مع الشاب البهيّ الطلعة الواقف في الصورة خلف صفّ من الرجال الجالسين نصف دائرة على كراسي الخيزران. يخطئ عبد الكريم في البداية في التعرّف إلى جدّه لكثرة ما يظهر مرتدياً أزياءً مختلفة في أزمنة مختلفة، صور قديمة ذابت بعض تفاصيلها، يعتمر فيها واقفاً عمامة الإفتاء التي لبسها وهو في الثامنة عشرة من عمره، أصغر المفتين في السلطنة العثمانية، ورثها عن أبيه الذي أخذها عن أبيه والتي تركها للسياسة، أو يضع الطربوش على منصّة الشرف يوم احتفال عيد الاستقلال في ساحة البرج في العاصمة، وتارة بالقبعة الأميركية مع وزراء وسفراء أجانب أو حتى حاسر الرأس بشعره الأشقر والخصلة المتطايرة في الهواء. لكن دائماً، وفي جميع اللقطات التي يكون مستعداً لها أو تلك التي نادراً ما تغافله فيها عدسة المصوّر، كيفما وقف ومهما ارتدى من أزياء، يمكن ملاحظة زعل دائم في عينيه، حسرة من أُبلغ لتوّه بخبر حادثة مؤلمة أو وفاة عزيز، طلّة ترفّع لا تفارقه وتتحوّل في صور ابنه الثاني عبدالله إلى مزيج ما بين الكآبة والضجر. عتب على الدنيا من عيون عسليّة لم ينتبه إليه عبد الكريم

الصغير المتحمّس للمزيد وهو يستبق والده في تقليب صفحات ألبوم الصور وصولاً إلى آخر صوره وأحدثها، تمثال مصطفى العزام وسط المستديرة والسيارات تدور من حوله في جميع الاتجاهات.

صار عبدالله بك ذاكرة العائلة بعد أن رضخ لقانون الابن البكر الذي أوصل شقيقه إلى النيابة، وبعد أن أقعده باكراً تحطّم ركبته اليمنى إثر إطلاق النار عليه كما قيل من قبل أخصام العائلة داخل سوق المدينة. اضطر إلى حمل العصا طوال حياته يتألم في أيام البرد، يصرّ أسنانه أو يعضّ شفته عندما يهمّ.بمصافحة الذين ما زالوا يتذكرونه في المناسبات. يحاول جاهداً الوقوف لكل زائر، والمهنئون واحداً واحداً يصرّون عليه أن يبقى مرتاحاً. عبد الكريم من جهته يكتفي أيام العيد بقبلات خالته وصديقات أمه المتقدمات في السنّ، يجلس مهذّباً، ينظر من دون أن يصغي إلى هؤلاء الذين يبدون كأنهم ولدوا مُرتَدين الطقم وربطة العنق، ورجال دين لا يملّون من تكرار الآيات والحكم التي لا يمكن الاختلاف حولها. لا تلهب محادثاتهم سوى أخبار العائلات وصلات القربى والمصاهرة والتدليل على منتحلي الصفة ممن غيّروا أسماءهم ليدخلوا السجل الذهبي للبيوتات المعروفة، ولو حصل ذلك قبل ثلاثة أو أربعة أجيال. وغالباً ما يتطوّع أحد الأنصار ليروي مرة جديدة قصة يعرفها الجميع عن مصطفى العزّام يوم مزّق قميصه وفتح صدره أمام ضابط فرنسي كان شاهراً مسدسه ويحيط به جنود سنغاليّون يضعون الحراب في فوهات بنادقهم، وصرخ به بالفرنسية:
أطلق النار!

في عيد الفطر لا يحظى عبد الكريم إلا بطقم جديد، يحضر الخيّاط

إلى البيت كي يأخذ له مقاساته، ويخرج على رجليه في نزهة واحدة مع ابن عمّه رياض الذي يكبره بسنتين ويحاول دائماً تأكيد وجاهته عليه. يمشي رافعاً كتفيه، يبادر إلى ردّ السلام على من يتعرّفون إليهما من المارة، يسبق عبد الكريم بخطوة وهما يتمختران على الرصيف في شارع عزمي بك وأيديهما في جيوبهما. لا يكادان يصلان إلى آخر الشارع حتى يلحق بهما مرافقهما ليعيدهما إلى البيت كما أوصيَ، كأنه ليس مستحبّاً تعريض أبناء آل العزّام طويلاً لعيون عامة الناس. يعودان خائبَين تاركَين أرصفة الشارع مسرحاً للشبان الذين يدخّنون سجائر المارلبورو ويتحلّقون حول بائعي قهوة الإسبرسو، يقرأون الصحف أو يتبادلون كلاماً سريعاً ومبطّناً مع الفتيات المتمهلات في سيرهنّ أمام واجهات الموضة، كلاماً قد ينتهي إلى لقاء وملامسة حول أكواب البوظة بالقشطة في الزاوية الظليلة لإحدى الباتيسيريات الجديدة.

تُشفق أمه عليه من رؤيته كئيباً لا ينبس ببنت شفة، فتطلب من السائق اصطحابه في جولة على المدينة. يأخذه حسن العويك إلى شوارع يجتمع فيها حشد لا يصدق من الفتيان الذين انتظروا قبل ليلة دورهم عند حلّاق الحارة، سهروا في دكان الخيّاط كي ينهي تزرير ستراتهم الجديدة، استحمّوا بعد أن فركت أمهاتهم رؤوسهم طويلاً بصابون الزيت، ثم ناموا وهم يشتمّون رائحة الجلد المصبوغ المنبعث من أحذيتهم الجديدة الموضوعة قريباً من مخدّاتهم. يستيقظون باكراً، يدورون على أعمامهم وأخوالهم ولا يفكّرون إلا في الإفلات ما إن يحصلون منهم على بعض الليرات عيديّة. ثم يسيرون جماعات وسط الطريق بعد أن تفيض بهم الأرصفة، يتبادلون الصراخ والنكات، ويواكبهم حشد من باعة غزل

البنات والنمّورة المتجولين. وبينما يكتفي الأصغر سنّاً بالأراجيح أو التكدّس مع أترابه في شاحنة صغيرة في جولة تطلع منها عدياتهم، توصلهم إلى شاطئ البحر وترجعهم، ويكون عندما يرفض أشقاؤهم المراهقون والشبان اصطحابهم للقيام ببهلوانيات خطرة على الدراجات الهوائية في شوارع المدينة الواسعة. تنزل أرهاط منهم من حيّ الأميركان، وغيرها من الأحياء الفقيرة الجاثمة فوق نهر المدينة، يغزون الساحات والشوارع ليومين أو ثلاثة بشعورهم المحلوقة أو المصبوغة ببقع من الألوان الفاقعة. تتضخم صفوفهم بأولاد المخيم الفلسطيني القريب الذين تقلّهم سيارات الأجرة دفعات، يرتادون معاً أنحاء المدينة التي لا يجدون لأنفسهم فيها مكاناً في سائر أيام السنة، ويحسّون.بمنعتهم إذ يحملون في جيوبهم مواسي حادة لتشطيب المتبارزين معهم إن اندلع شجار لا بد منه كي تكتمل أيام العيد. يسرقون أقراص الفلافل الساخنة من طرف مرجل البائع الذي ينهرهم وهو غارق في عبق الزيت المقلي ورائحة المخلل، يجرّبون حظّهم مع لاعبي الثلاث ورقات والكشتبان، يختارون مربعات صغيرة تحمل أسماء الفتيات، نور الهدى، عبير أو سحر، فيربحون علبة سجائر أميركية يتوزعونها في ما بينهم، ينفخون في أنبوب ماء ملوّن ومرقّم، يدفعون ليرة لتأمل وجوه الممثلات من خلال المنظار، يأكلون البرازق واللفت الأحمر المشبع ملحاً كي تفتح قابليتهم على معمول العيد، أغنياء ليوم واحد يبرزون عضلاتهم والأوشام عليها، غزاة المدينة في يوم السماح هذا.

يتابعهم عبد الكريم العزام من داخل الجاغوار التي تتقدم على مهل، على إيقاع هؤلاء السائرين وسط الشارع غير مستعجلين لفتح الطريق

أمام السيارات وحسن العويك لا يطلق المنبه على أولاد العيد الفرحين حتى وجد نفسه في ذلك اليوم محاطاً بحشد صاخب منهم. أدرك ما يعرّض له عبد الكريم بك من خطر عندما بدأ يسمع طرق قبضاتهم على غطاء صندوق السيارة الخلفي ولو أن عبد الكريم بدا فرحاً بهذه المواكبة، خصوصاً عندما ضحك في وجوههم ولوّح لهم بيده تحبّباً فتحمّسوا وضاعفوا من ضرباتهم على السيارة، حتى إنهم أحاطوا بها من الجهات الثلاث يرقصون، وتنادوا لحملها وهم يشدونها نزولاً وصعوداً، ما أرعب العويك الذي تحيّن أول مفترق طريق ليلوذ فيه بالفرار ويوقع أرضاً بعض الملتصقين بحديد الجاغوار. صرخ الجميع استنكاراً، وقذف أحدهم حجراً كسر الزجاج الخلفي فسقطت شظاياه على رأس عبد الكريم الذي جرح وسال دمه ولم ينتبه إلى أن رآه حسن الذي كان يكثر من النظر في المرآة الخلفية فصرخ خوفاً وذهب بعبد الكريم إلى بيته حيث وضعت له زوجته بعض الدواء الأحمر والشاش واتفقا على رواية موحدة حول الجرح يرويانها معاً لأهل عبد الكريم.

هكذا بدأ معه باكراً هذا الشعور بأن الدنيا هي حيث لا يكون، والدنيا لم تكن في مبنى المدرسة الذي أصرّ والده على إبقائه فيه، لدى "الإخوة المسيحيين"، ولم ينقله إلى "دار التربية والتعليم الإسلامية" التي افتتحت خصيصاً كي لا يضطر أولاد المسلمين إلى متابعة تحصيلهم في مدارس الإرساليات الأجنبية. والده عبدالله العزّام الذي شيّد أبوه قصراً على الطراز الأندلسي رفع فوقه العلم العربي ليكون مقراً شتوياً لحكومة الأمير فيصل في دمشق قبل أن يهزمه الجنرال غورو، وقائد الإضراب الشهير الذي دام أربعين يوماً طلباً للوحدة مع سوريا، يرضى بأن يحضر أحياناً ابنه الوحيد

القدّاس الصباحي مع النصارى في المدرسة؟ مدرسة لم يكن يكسر رتابة الدروس فيها سوى عرض مسرحي بالشعور المستعارة والسراويل الضيّقة واللفظ الفرنسي الأصيل لملهاة موليير، "الطبيب العاشق"، أو استضافة ساحر يُخرج سرب حمام من كمّ سترته. لم تنقذ عبد الكريم سوى المكتبة التي راح يرتادها يومياً بعد أن تطوّع كمندوب لصفّه. صار يجلس هناك وحيداً بينما رفاقه غارقون في ضجيجهم عند الاستراحات، حتى إن الأخ المسؤول عن المكتبة سلّمه مفتاحها بعد أن تأكد من أمانته ومواظبته، فتوالت عليه في لحظات الوحدة الطويلة التي يمضيها هناك مع الكتب، آلام المراهقة. معاناة غامضة، إحباط من دون سبب يجعله أحياناً يجهش بالبكاء عالياً، فاختلطت أحزانه بمطالعاته، وراح ينقل على دفتره قصيدة أبولينير في ذكرى رفاقه والمرسومة بعنوان "اليمامة المطعونة ونافورة الماء"، أو يكتب شعراً لمالارميه بأجمل خطّ ممكن:

"هيهاتَ من تعاسة الجسد
وقد قرأت الكتب جميعها..."

يتمعّن في الإلقاء، يغمض عينيه، يتماهى مع تعفّف الشاعر عن الجنس، هو الذي لم يكن قد اقترب بعد من جسد أنثى باستثناء سيرانوش، معلّمة البيانو الأرمنية التي كانت تعطيه دروساً بعد ظهر يوم السبت، يجلس إلى جانبها، يلامس جسمها فيشعر بشيء من الدفء وتفتّح الرغبة. شروحاته باللغة الفرنسية رداً على الأسئلة الأدبية كان يتناقلها الأساتذة والرهبان في ما بينهم، يقرأونها في الصفوف الأخرى فرحين بحفيد مفتي المسلمين كيف يتقن لغتهم أفضل من أبنائها الأصليين. وفي السادسة عشرة من عمره اعتقد نفسه قادراً على إدراك معاني القصائد المغلقة وفكّ رموزها، يلقيها لنفسه بإطناب وبحركات من يديه، يكررها

وعيناه تدمعان من رقّة معانيها وهو ممدّد وحده على أرجوحة مدخل البيت، متخيّلاً نفسه جالساً كتفاً إلى كتف صحبة الشعراء الملعونين، يتذوّق من كؤوسهم الأبسانت المرّ في الكباريه الباريسي الصغير كما رسمهم فانتين لاتور في كتاب تاريخ الأدب الفرنسي في القرن التاسع عشر، أو حالماً بأن نساءً جامحات عاشقات ينتظرنه هو في إحدى المدن الأوروبية التي يتخيّلها على الدوام غارقة في ضباب شتوي تنكشف في انقشاعاته القصيرة عمائر حجرية مهيبة وكاتدرائيات مزيّنة جدرانها بصور قديسين يتكلّمون مع الطيور ويحنّون على الأسود، فيما تصدح في أرجائها موسيقى الأرغن الرهيبة.

لا يصحو من أحلامه الكتبية إلاّ عندما تظهر أم محمود أمامه فجأة واقفة عند باب المدخل، خائرة القوى، شاحبة تهمس لنفسها كلاماً غير مفهوم. ينهض لنجدتها لكنها تتدارك نفسها قليلاً، هي واصلة لتوّها من أحياء المدينة القديمة، وفي وجهها يرتسم هلع ما رأته. تتلفّت وراءها لتتأكد من أن ما شهدت عليه لتوّها لن يلحق بها إلى هنا، إلى بيت مخدومها. تخرج إليها سيدة المنزل فتحكي كيف وجدت الناس متجمعين ينظرون إلى قتيلين مرميين في النهر، شابين جرفتهما المياه نزولاً إلى حيث يتحول النهر ساقية صغيرة فاستقرا تحت الجسر وبقع الدم الأسود تلطّخ ثيابهما. ضربت أم عبد الكريم يدها على جنبها محبطة ودخلت الخادمة لتروي ما رأته من جديد لعبدالله بك، بينما بقي عبد الكريم جالساً في أرجوحة الشرفة يردد في قلبه وبحنوّ كئيب وهادئ قصيدة الجندي "نائم الواد" وثقبان أحمران ينزفان في صدره. تذكّر الشعر محاولاً إيجاد مكان داخل أحلام يقظته الأدبية يسجّي فيه قتيلَي النهر الناضب.

لكن حقبته "الشعرية" هذه لم تدم طويلاً. فمع دخوله العقد الثالث من العمر، تراجع صبره على التبحّر في معان باتت معتمة عليه وقد بدا كأن الحساسية المرهفة والمشاعر السوداء تسرّبت إليه من رطوبة مبنى الدروس ووحشته وأشجاره الهزيلة الكئيبة. افترض في ما بعد أمام صديق دراسة التقاه بعد فراق طويل، وفي لحظة من وضوح الرؤية، أنه التقط خلال سنوات إقامته الطويلة في "معسكر الاعتقال" هذا فيروس حزن دفين لن يشفى منه مدى الحياة. كآبة بقيت تظلّله بين الحين والآخر ينزوي إثرها في البيت لأيام، يرفض استقبال أيّ من أصدقائه فيعود شعور القلق إلى أهله بعد أن سمعت أمه من صديقة لها عرضت أمامها بعض أمثلة من سلوكه كلمة "السويداء" في معرض تخمينها لما هو فيه. نقلت الأم هذا التوصيف إلى زوجها الذي أحسّ بصفعة قوية عندما انكشف أمامه ما كان يحاول إغفاله منذ بدأت معالم الانهيار المفاجئ تظهر على عبد الكريم. خاف من تلك الكآبة المقيمة في آل العزّام جيلاً بعد جيل، وفّرت البعض ولامست بإصرار البعض الآخر، من نوبات تشاؤمه هو التي تصيبه من دون سبب أو إنذار إلى عمّته التي ورّثتها لإحدى بناتها وقد حبست البنت نفسها في البيت، تدخن النرجيلة ولا تقابل غريباً ولا زائراً حتى وفاتها، وصولاً إلى جدّه المفتي وروايات غضبه المتناقلة حتى اليوم وباتت مضرب مثل في العائلة. فجأة خشي عبدالله العزّام أن يكون هذا الطبع قد تجمّع في ابنه الوحيد عبد الكريم.

من نصيحة إلى أخرى، استقرّ الرأي في العائلة على أن الزواج ربما يكون دواءً شافياً لما هو فيه. سبقته شقيقته بعقد قرانها على شاب سعودي التقته في أحد الفصول الدراسية في الجامعة الأميركية في بيروت

وسافرت معه إلى بلاده، فنجحت الأم في إقناع عبد الكريم بكتب كتابه على صبيّة يحقق والدها الأرباح في استيراد النفط والغاز. كان الاحتفال متواضعاً، لم يرض العروس وأهلها، لكن سارت الأمور في الظاهر على ما يرام لبضعة أشهر حتى انفردت العروس ذات يوم بحماتها لتشكو لها أن عبد الكريم اقترب منها ثلاث مرات فقط، ليلة الدخلة ومرتين كان فيهما متعتعاً من السكر، وهو ما عاد ينظر حتى إليها، فإذا خلعت ثيابها للنوم يدير ظهره كي لا يراها، وأنها ستُمهل نفسها شهراً قبل أن تطلب الطلاق وتعود إلى بيتها. صار الأقارب والمعارف يميلون إلى تصديق رواية أهل العروس التي تقول همساً إن ابن العزام الذي لم يحبّ ابنتهم لا يحبّ جنس النساء كلّه وإن لديهم إثباتات على ذلك، فعاد عبد الكريم إلى حاله المبعثرة الأولى.

لم يترك لديه هذا الزواج الخاطف سوى ذكريات متعبة عن اقتحام غرفة نومه من قبل فتاة بدينة تغطي الحبوب وجهها فتحجبها يومياً بطبقة من الطلاء الشاحب يستغرق وضعها أكثر من ساعة من الزمن. احتلت بفساتينها المزركشة وقبعاتها الثمينة السخيفة ثلاثة أرباع خزانة ثيابه، يتعكّر مزاجها وتتوجّع لعشرة أيام بطولها عندما تحين دورتها الشهرية، تتأمّر على مصطفى العويك الذي يجيبها "على خاطرك يا ابنتي"، فتردّ بانفعال "أنا لست ابنتك"، فيغمزه عبدالله بك كي لا يزعل. تجرح أم محمود بالكلام لأنها تأخرت في ترتيب غرفة النوم، فتنزوي هذه الأخيرة في المطبخ دامعة. ظلت تنتقد هندام عبد الكريم حتى استسلم مرة أو مرتين للكرافاتات الفاقعة الألوان، تربطها له، فيسارع قبل حلول الظهر إلى نزعها وهي تطارده بالقول:

احترم نفسك، أنت ابن العزّام!

وتخطط من دون توقف لدعوات إلى العشاء تدفعه فيها دفعاً إلى الجلوس على رأس الطاولة ليغادر أكثر من مرة في منتصف السهرة مخترعاً شتى الأعذار.

هدأ البيت من بعدها، لكنّ إعصاراً أكبر هبّ على المدينة فور رحيل العروس شاتمة آل العزّام أباً عن جدّ وموزّعة حولهم الأخبار من كل صنف معيب. بدأت أولاً الانفجارات تدوّي في الليل ويصعب التكهن بأماكن حصولها ولا يُبلّغ في اليوم التالي عن ضحايا وقد أبقت الحياة على طبيعتها نهاراً ولو أن المتاجر والمقاهي راحت تغلق أبوابها والشمس لا تزال في الأفق. ثم انفجرت أول سيارة مفخخة مركونة على كورنيش البحر في مجموعة من الأصدقاء الصباحيين بلغوا سنّ التقاعد كانوا يمارسون الهرولة الخفيفة في فوج واحد، تلاها عطل كبير في محطة توزيع الكهرباء أغرق الأحياء في الظلام، وقيل إنه يجب انتظار وصول بعثة مهندسين من النمسا لإصلاحها. نصب ملثّمون مجهولون حاجزاً طيّاراً عند المدخل الجنوبي للمدينة وراحوا يطلقون الرصاص بشكل هستيري على السيارات وركّابها. زرعت عبوة ثانية صباح يوم الاثنين قرب تمثال مصطفى العزّام فحطّمت قاعدته وأسقطته أرضاً. صار النزول إلى الشوارع محفوفاً بالمخاطر والاتصالات الهاتفية تلفظ أنفاسها، فيما ينتظر الناس حتى التلف صفوفاً أمام المخابز. يمضي عبد الكريم الوقت وهو يقرأ ويتذمّر، يمحو من غرفة النوم آثار زوجته العابرة، بينما سرت شائعات عن أن تفجيراً سيحصل صباح كل يوم اثنين لتخريب الأسبوع من أوّله. بدا كأن ربّ المدينة قد تخلّى عنها، فتقاسم

النفوذ فيها "أمراء" على الأحياء يدعمهم مشايخ يتنقلون في سيارات مصفّحة ومولعون بالخطب النارية واستعراضات السلاح. حاولوا تنظيم شؤون الناس فكان مسلحوهم يكتفون بإطلاق النار فوق الرؤوس لفضّ التزاحم والعراك عند محطات الوقود. ثم بدأت مدفعية الميدان، مدافع من عيار ١٥٥، منصوبة فوق التلال القريبة تدكّ الأحياء القديمة، ولم تعد أم محمود قادرة على الخروج من بيتها لتصل إليهم حاملة معها وجبة الأخبار. توسّع القصف ليطال مواقع جديدة أو لترسل القذائف عشوائياً وعبدالله العزّام يخرج وحده إلى الشرفة يستمع إلى أصوات الانفجارات تهزّ الليل ليلحق به عبد الكريم أحياناً، لكن عندما سمعه مرة يشهق في البكاء عالياً عاد إلى غرفته كي لا يحرجه. اغتيل الشيخ عماد، أمير باب الحديد وصاحب السمعة الحسنة في مساعدة الفقراء، وقتل عشرة جنود ليلاً في محطة القطارات القديمة ثأراً له. أعطت المدارس تلامذتها عطلة مفتوحة، وبدأت تتوالى أخبار هجرة المعارف والأقارب إلى دول الخليج أو أوروبا، ومنهم من غادر بحراً إلى قبرص على متن بواخر تجارية ترسو عادة في مرفأ المدينة.

وصل الدور إلى عبد الكريم، فتباحثت زوجة عبدالله العزام مع ابنتها في السعودية واتفقتا على أن يدفع الصهر نفقات برنامج سفره إلى باريس. يقيم هناك، يدرس أو يتدبر له وظيفة. وقد حُسم الأمر يوم عاد عبدالله العزام متجهّماً من اجتماع لنواب المدينة ووجهائها في دارة المفتي. سنده حسن العويك في صعوده درجات المدخل وهو يتلو الآيات القرآنية بصوت مسموع. جلس متعباً في كرسيّه البرجير وقال بصوت عال وبلهجة نهائية وهو يضرب عصاه بالأرض:

عبد الكريم إلى الطائرة!

ثم أردف هاتفاً:

لا حول ولا قوة إلا بالله، نقلوا قتلى باب الحديد إلى المستشفى الإسلامي، رجالاً ونساءً وأولاداً. أخبرنا مدير المستشفى وطلب منا من شدّة خوفه أن لا ننقل شيئاً عن لسانه، لا يعرف عدد القتلى، توقف الممرضون والمسعفون عن العدّ، امتلأ البرّاد بالموتى، فكدّسوا الجثث خارجاً في أكياس من النايلون على الرصيف والرصيف المقابل، تمرّ السيارات بينها والروائح لا تطاق، حتى وصلت إلى الطريق العام فحُوّل السير نحو شارع آخر. وصلت من باب الحديد جمهرة من النساء يصرخن وهن يركضن خلف سيارات إسعاف الصليب الأحمر، حضر بعض الرجال أيضاً للتعرف إلى موتاهم، عناصر المخابرات الذين وصلوا مع الجثث الأولى وانتظروا إلى جانبها طلبوا منهم أسماءهم، احتجزوا هوياتهم ثم اقتادوهم بدورهم في شاحنة عسكرية إلى التحقيق. طردوا النساء اللواتي لم يمتثلن بل زدن صراخاً وعويلاً، فأطلقوا النار فوق رؤوسهن. انتشر الخبر، وبالرغم من نداءات إدارة المستشفى لم يعد يتجرّأ أحد على التقدم للمطالبة بابن أو قريب خشية الوقوع بين أيدي المخابرات ودخول السجن من دون أمل في العودة إلى أهله. بقيت الجثث مكدسة هناك، ولا يعرف مدير المستشفى ماذا عليه أن يفعل بهؤلاء القتلى الذين وصلت رائحتهم إلى كل مكان والناس في حالة اضطراب لا توصف. والآن في الاجتماع، اتفقنا على أنه لم يبق سوى ترقيم القتلى ودفنهم سراً في مقبرة الغرباء...

أعدِ جواز سفرك، أأنا أسعى لك بالفيزا، لا تزال لديّ بعض

الصداقات في السفارة الفرنسية!

انتظروا الهدوء أو الهدنة، رافقه والده بسيارة الجاغوار إلى المطار وقد غافله النوم في المقعد الخلفي، عانقه طويلاً وأوصاه بأن يتفقّد من أجله فندقاً صغيراً جميلاً في الحيّ اللاتيني نزل فيه لثلاثة أيام خلال مروره بباريس، وبقيت الصيغة المتداولة حول غربة عبد الكريم العزّام أنه يتابع في الجامعة الفرنسية اختصاصاً طنّاناً تحت اسم "السياسة والاقتصاد".

مرّت السنوات واستقرت أوضاع المدينة نسبياً من دون أن تبدر من عبد الكريم رغبة في العودة، والأخبار الواردة عنه لم تكن مطمئنة. ينقلها إلى مجلس ابن عمّه رياض بعض مواطنيه العابرين في العاصمة الفرنسية من الذين يقولون إنهم التقوه في صدفة نادرة، أو من معارف مقيمين في الشارع المجاور لسكناه، على تخوم حديقة اللوكسمبورغ، يروون أنه مغرم متيّم.بمن يسمونها ممثّلة، كتعبير مجازي عن بنات الهوى أو كما يقول أحدهم في إشارة ازدراء رقّاصة نحيلة، يقول نحيلة وهو يرفع سبابته في الهواء ويحرّكها في إشارة إلى هزالها وبخس أهميتها. يضيف الشاهد وسط ابتسامات الموجودين أنه رآها بعينه تسير إلى جانب عبد الكريم على أحد أرصفة بولفار مونبارناس. ومع أنه لم يقترب منه ليسلّم عليه ويعرّفه بنفسه، يجزم الراوي العليم بأن عبد الكريم ينفق كل أمواله عليها، ولو أسرّ هذا الواشي بعد ذلك لأحد مستمعيه الذكور وهو يهزّ رأسه غيرة بأنها فائقة الجمال.

عاد عبد الكريم مرة واحدة من فرنسا لحضور جنازة والده الذي توفي من جراء عودة الالتهاب إلى رجله المصابة بعد كل تلك السنوات، وذلك لأسباب لم ينجح الأطباء في تفسيرها. فعادت الألسن من جديد

تتداول قصة إصابة عبدالله بك بالرصاص بعد زواجه بقليل وما حكي عن تورط امرأة هجر عبدالله العزّام حبّ شقيقتها ليتزوج غيرها، فتركها في حال مزرية تبكي ولا تأكل حتى أصابها المرض، فاستأجرت شقيقتها من أطلق عليه النار. ويروى أنها كانت واقفة في العتمة مع الرجل لتتأكد من أنه لن يقتله بل يجرحه فقط كي يبقى طول حياته يتذكر أختها ويتذكر كيف كسر لها قلبها. حمل عبدالله العزام الجرح طوال حياته ومات به.

فور إبلاغه الخبر حاول عبد الكريم السفر لكنه علق وسط إضراب مفاجئ لطيّاري شركة "إير فرانس" في مطار شارل ديغول، فوصل متأخراً يوماً كاملاً عن الدفن. من يعرفه جيداً لا بد أنه لاحظ فيه حيوية وفي عينيه لمعة كان يفتقدهما قبل سفره إلى باريس. ارتاح وجهه، جمدت عضلاته الصغيرة، بدا مهتماً، مصغياً، بالرغم من جلوسه حزيناً يستقبل بعض المعزّين الذين قصدوه إلى بيته. عشية موعد عودته إلى باريس، ذهب في زيارة إلى المقبرة وحده وبقي هناك حتى افتقدوه في البيت. هبط المساء ولم يعد، فخرج وراءه حسن العويك، دخل المقبرة ليلاً وهو في خوف شديد ينادي على عبد الكريم بك، فرآه من بعيد جالساً ملقياً رأسه على ركبتَيه. هزّه من كتفه فاستفاق ورافقه إلى البيت حيث أصيبت والدته، إضافة إلى حزنها وهي تودع زوجها، بمرارة عميقة بعدما رأت شقيقَه وابن شقيقه واقفين وحدهما لتقبّل التعازي وقلّة من الناس تسأل عن عبد الكريم، وكأن غيابه عن جنازة والده كان سلوكاً متوقّعاً منه. تأكدت أمه أنها لن تحظى بما حلمت به قبل أن تموت، هي التي حاولت مراراً إقناع زوجها بأن يجعل بيتهم الجديد من طبقتَين:

نفتح في الطابق الأرضي منزولاً...

أهلها، وليسوا من علية القوم كما تقول، كان عندهم منزول، فلم لا يكون لابن مصطفى العزّام مكان يستقبل فيه الزوار والأنصار؟

يرمقها عبدالله بك بنظرة فيها بعض التبرّم ويدور بينهما سجال سريع:

يا ملكة، السياسة لأخي البكر...

لماذا؟

يجيبها بلهجة تعبة من التكرار:

أبي أراد ذلك.

ونحن ماذا لنا؟

لنا راحة البال.

بعد فترة من السكن المضني في وحشة المنزل الذي فرغ من رجاله، قررت أرملة عبدالله العزام السفر بعض الوقت إلى السعودية والإقامة عند ابنتها، موكلة أمر البيت إلى أم محمود التي تقدّمت بها السنّ وصار يصعب عليها المجيء من حيّ الأميركان، فسلّمت بدورها المهمة لابنتها المحتاجة، انتصار زوجة بلال محسن. أناس في منتهى الآدمية والعمل في غيابهم بسيط، قالت لها، تفتحين البيت مرة في الأسبوع، تهوّئينه وتنظّفين الأثاث من الغبار، تمسحين الأرض وتروين أزهار الشرفة لأن زوجة عبدالله بك رفضت وضع أغطية فوق الكنبات وأرادت في البداية حتى ترك البرّاد شغّالاً لأنها لم تكن تعرف في أي يوم تعود. أوصتها بالأمانة والحرص، فلدى آل العزّام سجّاد وثريّات ثمينة، و لم تتردد أيضاً في تنبيهها إلى ضرورة إبعاد زوجها بلال عن البيت وألا تدعه أبداً يرافقها، وحتى أن تخبّئ المفتاح عنه كي لا يخطر في باله مدّ يده إلى أغراضهم الثمينة.

- ٣ -

سعى بلال محسن إلى الموت، لكن الموت لم يرغب فيه. في الرابعة والعشرين من عمره ألحّ على ابن عمّه بأن يأخذه إلى باب الحديد في آخر فصل دموي دار هناك، من دون أن يدري يومها أن مَثَله مَثَل من ذهب إلى الحجّ والناس راجعة. كان المتمردون هناك في حاجة ماسة إلى رجال، فصاروا يقبلون كل متطوع. تراجع عددهم بعد أن انفرط عقد جبهة العمل الوطني والإسلامي وتخلّى عنهم حلفاؤهم في الضاحية الشرقية للمدينة، حيث أفتى أميرها فجأة بالوقوف على الحياد، فأصدر بياناً طويلاً دعا فيه إلى "حقن الدم الوطني" وضرورة المحافظة على "الحالة الإسلامية". استرجع كل المفردات التي خاضوا المعارك باسمها معاً، البيعة والأمة والممانعة، ليختتم بقرار النأي عن "معارك جانبية". سمّى سقوط الشهداء وتدمير الأحياء وعذاب الاعتقال معارك جانبية، ثم أوعز إلى أتباعه بتسليم أسلحتهم ليصار إلى توزيعها على مخابئ متفرقة، وراحت إذاعته على موجة الـ"أف أم" تكتفي بالبرامج الدينية.

في باب الحديد، رأى بلال أبواب المحال مبقورة وقطع جدران وحدائد شرفات مرمية وسط الشارع وسيارة مرسيدس متفحّمة أمام

فرع بنك الاعتماد الشعبي. أفرغ بعض الباعة متاجرهم من البضائع وهجروها، أقسموا أنهم لن يعودوا إلى هنا بعدما كوتهم المعارك وحرقت رزقهم للمرة الثالثة.

عاطلاً كان من العمل ويسمع كل يوم أخباراً عن إقدام من يسمونه أبو خالد على إحراق دبابة على مدخل الحيّ من جهة المستديرة، ورواية تسلل شبان وأسرهم ضابطاً وثلاثة عسكريين قايضوهم بمعتقلين من أبناء باب الحديد. جذبته الأسماء والرغبة في مجالسة هؤلاء الأبطال أو حتى مرافقتهم. حمّلوه بندقية يودعها في المركز عند عودته إلى البيت في الصباح، وطلبوا منه العودة كل مساء إلى حيّ الأميركان كي يأتيهم بما يسمعه هناك من أخبار. توسّط له ابن عمّه فحصل أيضاً على مسدّس يحمله إلى بيته ويحمي به نفسه. أعطوه حصّة غذائية، أرزّاً وسكّراً وحليباً ومعلّبات، ووعدوه بحصة مماثلة كل شهر. ادّعى أن عنده مريضاً فأخذ مضادات حيوية باعها للفتاة العاملة في صيدلية "الكمال" بما تيسّر من المال.

لم يكن للقصف موعد في باب الحديد، المهم الإفلات من القذيفة الأولى والاحتماء بعدها في الطوابق الأرضية. يؤمّن الرجال الحراسة ليلاً، يشربون الشاي في مركز لأحد الأندية الرياضية حوّلوه إلى قيادة عسكرية للجانهم الشعبية. في وسط القاعة طاولة بينغ بونغ، وهاتف أسود كبير لا يتوقف عن الرنين موضوع على مكتب معدني، ومكيّف هواء يعمل على مدار الساعة. من يرتَح من أعمال القتال وراء المتاريس يعرج إلى هنا يستقي الأخبار. يستمعون إلى الإذاعات ويتكهّنون بموقع سقوط القذائف. ليلة ساخنة وليلة هادئة. لم يوكلوا إلى بلال مهمة

محددة، يستلقي أرضاً، يدخن من دون انقطاع، جميعهم يدخنون من دون انقطاع، ويصغون إلى توجيهات الشيخ عماد، الملتحي من دون عمامة، أمير باب الحديد. يجلس وراء المكتب ويدع غيره يردّ على الهاتف ثم يمرره إليه. يجلس تحت صورة شقيقه عُمر المتوفى في السجن، صورة يظهر فيها وهو يسلّم باليد على ياسر عرفات الذي كان ينظر في هذه اللحظة نحو شخص لا يظهر في الصورة ويوجه له ابتسامة عريضة تبين منها أسنانه. الجميع مقتنعون بأن المخابرات أجهزت على عمر داخل السجن. عماد يشبه شقيقه، يتشبّه به في السلوك وحتى في اللباس واللحية، يتقاسم معهم "ربطة الخبز" كما يقولون، يوزّع على رجاله كل معونة يتلقاها، يوصي بضرب كل يد تمتد إلى أرزاق الناس. يريدهم أن يسيروا في الحيّ ورؤوسهم مرفوعة، ويشدّد على ضرورة الصمود لأن الصمود وحده يقلب ميزان المعركة، ودليله اتصالات التضامن التي ترده من شبان في أحياء أخرى يطلبون منه المشاركة في المعركة، وهو يرد بأنه لن يوفّرهم عند الضرورة.

تتباعد الانفجارات، يصلّون الفجر وينفضّ مجلسهم. يسأل بلال عن الأسماء ليرى وجوه من سمع ببطولاتهم، فيختصر ابن عمه الأجوبة وينصحه بعدم الإكثار من الحشرية. دخّن كثيراً واستمع كثيراً. لم يكن هناك من مواجهات فعلية في المعارك، بعض القنص من المتاريس المتقابلة، القصف يأتيهم من بعيد. تحدّثوا مرة أمامه عن عملية تسلل في مجرى النهر صعوداً ينقضّون فيها على موقع للمدفعية الثقيلة فوق إحدى التلال المطلّة على المدينة. خطّطوا لأفعال كثيرة لم يتح لهم المجال لتنفيذها. لكنّ أعداءهم نفّذوا العملية الكبرى. استدرجوا الشيخ عماد إلى

خارج الحيّ من أجل المشاركة في اجتماع للتنسيق والتفاوض حقناً للدماء، وفي طريق عودته بالسيارة اعترضته دراجة نارية فأمطره مسلّحان هو ومرافقه بالرصاص وفرّا. لم يجرؤ أحد على الاقتراب، نادوه من نافذة في إحدى البنايات المجاورة فلم يأتهم جواب، بقيت السيارة وسط الطريق حتى وصل أنصاره من الحيّ بعد أن انتظروه ليخبرهم بنتيجة المفاوضات. رافقهم بلال، عبروا إلى الجهة المقابلة من النهر وهم ينتظرون في كل لحظة أن تُطلق عليهم النار. وصلوا إليه، سحبوه من السيارة، شبع موتاً. حمله الرجال عالياً على الأكفّ، حمله بلال محسن معهم، ثيابه مضرّجة بدمائه، حملوا مرافقه أيضاً وهم يكبّرون ويصرخون ألماً وشرفات البنايات قد امتلأت بالمتفرّجين المذهولين. عادوا بهما إلى باب الحديد حيث خرج من بقوا في الحيّ يتدافعون لحمله وغسله وتكفينه. عاود اثنان منهم الكرّة تحت جنح الظلام ليسحبوا السيارة التي بقيت لسنوات متوقفة في جوار منزله من دون أن يسعى أحد لتنظيفها من آثار الدماء والرصاص.

ثأروا له قبل دفنه. خمسة شبان حملوا قاذفَي "آر بي جي" وأسلحة رشاشة وسلكوا طريق "السقي" الشمالي، ترددوا في ضمّ بلال إليهم بسبب افتقاره إلى الخبرة في القتال، خافوا عليه وعلى أنفسهم أن يُصاب بالرجفة ويقع سلاحه من يده فيربكهم. أصرّ وانفعل فاقتنعوا بصدق مشاعره وأخذوه معهم في دروب وسط بساتين الليمون الكثيفة، تلك التي كان الشيخ عماد يخطط لسلوكها في حال الانسحاب الاضطراري بعد أن وصلته أخبار من "مراجع عليا" أنهم قد يقصفون باب الحديد بالطائرات. وصلوا بسرعة إلى محطة القطار المهجورة، كان

قد توقف العمل على خطّ حلب حيفا منذ عام ١٩٤٨ وتوقفت من بعدها الرحلات إلى بيروت ودمشق، فلم يبقَ من المحطة سوى مبنى حجري ومقصورتين صدئتين وأجزاء متفرقة من سكّة الحديد. تحوّلت مركزاً عسكرياً. رأوا الحارس نائماً على كرسي وسلاحه إلى جانبه. قلب بلال يضرب بقوة، كان خائفاً ومستعداً للموت، طلبوا منه تأمين الطريق الخلفية. ركع اثنان من الشبان لن يفشي باسميهما إلى أحد، وأطلقا قذيفتَي آر بي جي دفعة واحدة انفجرتا في مقصورتَي القطار حيث يعرفون أن الجنود ينامون فوق فرش من الإسفنج. بدأوا يكبّرون ويطلقون رشقاتهم الرشاشة لتغطية انسحابهم. كانت المرة الأولى والأخيرة التي يطلق فيها بلال محسن النار ولو في الهواء. لم يلقوا ردّاً، بل بدأ يصلهم صراخ عميق بعد أن توغّلوا عدْواً داخل البساتين في طريق الرجوع إلى باب الحديد.

توقّف القصف فشيّعوا الشيخ عماد في اليوم التالي بعد صلاة الظهر. شهيدهم الأكبر. خرج الحيّ كله وراءه. لأول مرة ظهرت مجموعة من الشبان يلفون رؤوسهم بعصائب "لا إله إلا الله محمد رسول الله" السوداء، جاءت وفود من أنحاء أخرى، أطلقوا الرصاص بغزارة. ألقى ابنه البكر كلمة قصيرة، بكى ووعد بأن دماء والده ودماء عمّه عمر لن تذهب هدراً. انسحب الوافدون إلى باب الحديد بعد أن بدأت تصل أخبار الجنود الذين قضوا وهم نيام في محطة القطار القديمة. يعرفون أن شيئاً كبيراً سيحصل.

حصل الشيء الكبير بعد يومَين من الهدوء الغريب توقّف خلالهما القصف ولم تطلق سوى رصاصات قليلة متفرقة. منذ مقتل الشيخ

عماد، لم يغادر بلال باب الحديد، صار ينام في مركز الجمعية، تمضي السهرة بوجوم بعد أن تضاءل عدد المداومين. سأله البعض منهم همساً عن عملية محطة القطار فكان يبتسم ولا يجيب. كان الهدوء مريباً والليل ثقيلاً حتى دخل عليهم هؤلاء الرجال قبل الفجر. لم يعرف أحد كيف عبروا مداخل الحيّ ونقاط الحراسة بهذه السهولة. كانوا ينتعلون الأحذية الرياضية ويرتدون ثياباً عسكرية مرقّطة. صعدوا السلالم من دون أن يصدروا أصواتاً، دخلوا وشهروا الأسلحة في وجوههم، تناول أحد الساهرين بندقيته وكان جالساً نصف غاف فأطلقوا عليه النار، سقط وبدأ يئنّ من الألم. أمروهم بالجلوس أرضاً ووضع أيديهم فوق رؤوسهم. قائدهم حاسر الوجه، لم يتعرّف أحد إليه، وقيل إنه ضابط في المخابرات برتبة عقيد، بيده قائمة أسماء ويوزّع الأوامر. دليلهم كان مقنّعاً، سمين وقصير القامة، لا يتكلّم كي لا يفضحه صوته، الأرجح أنه من أولاد باب الحديد. اشتروه واشتروا غيره. كان الشيخ عماد يعرف الخونة ويمهلهم. يكرر دائماً أن ابن باب الحديد الأصيل لا يخون. لم يشأ أذيّتهم كرمى لأهلهم. كان هذا القصير القامة يدلّ بإصبعه على اسم من القائمة ويشير إلى أحد الجالسين أرضاً، فيضع العقيد علامة إلى جانب الاسم. تردّد الواشي قليلاً ثم همس شيئاً في أذن العقيد الذي نادى على بلال محسن أن يقف على رجليه ويخرج من القاعة. لحق به المقنّع السمين إلى مدخل الجمعية. لم يقل له شيئاً. نظر إليه طويلاً ليتأكد من وجهه في العتمة ثم صفعه من دون مقدمات صفعة قويّة على وجهه، ودفعه على الدرج نزولاً. دفعه بقوة صدمته على الجدار وأوقعته أرضاً، في إشارة له ربما بألا يلتفت وراءه وهو يهرب. بلال لم يمتثل، لم يتمكن من الفرار،

تعثّر مرة ثانية، وبدل أن يخرج إلى الشارع، اختبأ في مدخل البناية خلف كومة من صناديق الكرتون التي تفرغ منها الأدوية والمساعدات وانتظر. بدأت الطلقات النارية والانفجارات تُسمع من دون انقطاع في كافة أرجاء الحيّ. بعد دقائق، انفجرت الرشقات الرشاشة في الطابق الأول كأنها تخرج من جدار الباطون المتّكئ عليه، تلاها الصراخ والأوامر ثم رشق أخير طويل. أحدهم أفرغ ممشط الكلاشنيكوف كاملاً، وزعه على أجساد مترنحة تلفظ أرواحها، ليسود من بعده صمت مطبق. لم يسمعهم يغادرون، أحسّ فقط بوقع أحذيتهم الرياضية نزولاً على الدرج. أبعد صناديق الحصص الغذائية من طريقه، لم يقف على رجليه، اتّكأ أرضاً على يدَيه وصعد دبدبة على الأربعة إلى الطابق العلوي حيث كانت شعلة قنديل الغاز البيضاء ترمي ضوءاً وظلالاً على كومة أجساد عناصر اللجان الشعبية، رفاقه الموزعين في القاعة؛ واحد مرميّ فوق طاولة البينغ بونغ، واثنان متّكئان على المكتب الحديد، والباقون أرضاً. لم يقف، بقي جالساً شبه مرتمٍ، قتيلاً مثلهم، حتى عندما شحّ ضوء القنديل وانطفأ تماماً، بعد أن انطفأت رائحة الرصاص وعبقت رائحة الدم وحدها في الغرفة، بقي جاحظ العينين في العتمة. انقطع صوت الانفجارات في الخارج وبدأ ضوء الفجر بالتسرّب، وسمع أذان الفجر من مسجد بعيد. في تلك اللحظة بالذات كان بقاؤه على قيد الحياة عبئاً ثقيلاً.

اندسّ بين رفاقه، بكى صامتاً، تمدّد بينهم حتى أضاء النهار الطالع على عيونهم الميتة تنظر إليه، فانتفض مرعوباً وراح يقلّب أجسادهم واحداً واحداً. هزّهم، ناداهم عالياً بأسمائهم التي أحبّها وأسمائهم

الحركية المستعارة. نادى ابن عمّه الذي جاء به إليهم والمرميّ بينهم، ثم هرول مسرعاً على الدرج وراح يركض وسط الشارع وهو يلهث بعبارة "الله أكبر"، يتمتمها لعشرات المرات حتى يستجمع شيئاً من قوته فيعود ويصرخها عالياً منادياً. لم يجبه أحد و لم يطلق النار عليه أحد. سمع ولولة وصراخاً، لكنه لم ينظر ليرى. وصله صوت ارتطام جسمَين بالأرض أقرب إلى ما يصدر عن سقوط أحمال ثقيلة أو هذا ما تخيّله في هذيانه. لم يلتفت، قيل له في ما بعد أنهم كانوا يرمون من يطلقون عليهم النار من الطوابق العليا. ربما نجا لأنه لم يتطلّع يميناً ولا شمالاً.

لم تجرؤ سيارات الإسعاف على دخول باب الحديد قبل الساعة الثامنة، حتى جاء الضوء الأخضر من المهاجمين. وضع المسعفون الكمامات على وجوههم وهم يجولون بالمحامل، تناديهم امرأة تخرج من باب بناية، تدلّهم إلى جثث ملقاة في الداخل، ظلوا ينقلون الجثث حتى الظهر، حملوها جميعها إلى المستشفى الإسلامي الخيري.

لم ينتبه لأمر بلال محسن أحد. اختفى عن الأنظار، فاعتقد الناجون أنه قضى في المجزرة وقد ورد اسمه في قائمة أوّلية لأسماء "الشهداء" ضمن بيان ألصق تحت جنح الظلام على زجاج السيارات في بعض الأحياء المجاورة. ثم شاعت أخبار أنه ترك مركز الجمعية قرابة منتصف الليل، انسحب قبل الهجوم، كان يفترض به أن يمضي الليل هناك لأنه لا يرجع إلى حارته إلاّ مع طلوع النهار.

وجدوا عشر جثث في المركز، لم ينجُ أحد غيره، فحمل وزر نجاته. لا تكتمل رواية الوقائع الجسام من دون خائن، وبلال محسن هو من تحوم حوله الشبهة. لم يتصل بأحد، لم يحكِ، لم يُخبر بما حصل. اتهموه بأنه

هرب، أنه خاف، أنه وشى. لم يبقَ أحد غيره من الساهرين تلك الليلة على قيد الحياة كي يروي ما حدث قبالته. من خرج من شباب اللجان سالماً من المقتلة التجأ إلى مخيم فلسطيني في الجنوب أو ركب البحر من مرفأ جونية المسيحي ليستقر في ملبورن أو في كوبنهاغن.

صادفه شاب من باب الحديد في سوق الصاغة، اقترب منه، دفعه من كتفه تحدّياً وبصق أمامه أرضاً، ففضّل بلال تجاهله. قصده رجل آخر إلى حارته، حشره في أحد الأزقّة ووضع الموسى في بطنه. أقسم بالقرآن وبالرسول أنه لم يخن وأنه لا يعرف لماذا عفوا عنه، وأنه مستعد لأي عملية ثأر لأبناء باب الحديد. لم يقنعه بأنه بريء، ولم يتأكّد أنه واشٍ، فتوعّده وتركه.

أمضى سنوات وهو يبرر نفسه ويحاول التعرّف إلى من أخرجه وحده من تلك الغرفة. كل قصير سمين يذكّره به، وممتلئو الأجسام قلائل في الجوار. توقف مراراً أمام الإسكافي عند زاوية سوق النحاسين، لحق طويلاً بأحد عناصر شرطة البلدية، تجاوزه، نظر في عينيه حتى هدّده الرجل بالضرب. يجلس ويحاول تذكّر أقاربه لأنه أحسّ بأن من صفعه ورماه نزولاً على الدرج كان مثل أخ كبير له يؤنّبه على انزلاقه إلى هذه الأفعال الخطرة عليه. استرجع في ذهنه الرجال منهم، شقيقَيه النحيفَين الطويلَي القامة مثله، أبناء خاله في القرية، سائق الفان لنقل الركاب وسائق الجرار الزراعي.

لم يهتدِ إلى قصير وسمين حوله ولم يهتدِ إلى عمل يعتاش منه. نسي ما تعلّمه خلال عام كامل في دهان السيارات، لا يجرؤ على الخروج إلى الشوارع الجديدة الواسعة حيث يمكن أن يتعرفوا إليه ويصطادوه.

لم يكن يخشى من لم يمت معهم بل الآخرين الذين لا يريدون شهوداً على مقتلتهم.

كانت أعمال الثأر قليلة ومتباعدة وهو يجرّب أشغالاً لا تسدّ جوعاً. باع القهوة بالمصبّات متجوّلاً ضمن دائرة الأزقة التي بقي آمناً فيها. أقام كشكاً لبيع السجائر على أحد الأرصفة، لكن البلدية أقفلته في هبّة تنظيمية لاسترجاع الأملاك العامة لم تدم طويلاً. تردّد إلى جمعية خيرية فاشتغل فيها حمّالاً وحارساً وموصّلاً للأغراض مقابل غرفة صغيرة ينام فيها ليلاً.

ليس له أصدقاء، يهيم حاني الرأس حتى ارتطم بانتصار ابنة أبو محمود، حسين العمر مرافق مصطفى بك العزّام، التي كانت تخلط بين الإقدام على أفعال الشقاوة وتقبيل الشبان الأكبر سنّاً منها وفتح فخذيها أمام مداعبات الأصابع. واعدها مرة وأمضى الوقت الباقي في تعقبها كي لا يشاركه فيها أحد، لأنه يعرفها سهلة المنال. انتبه في المقابل إلى ضرورة الاستحمام بين الحين والآخر وغسل قمصانه بيده حتى صار يمكن أن يجده البعض جميلاً، فعرف من دون خبرة كبيرة في ملاطفة الفتيات كيف يتلاعب برأس انتصار التي صارت هي تبادر إلى تكرار لقاءاتهما الحميمة.

انفضح أمرهما في النهاية عندما فاجأهما أولاد في أحد الأزقة المعتمة وهما متعانقان، فوصل الخبر إلى أم محمود التي أرسلت من يهدد بلال محسن بضرورة الزواج العاجل من ابنتها وإلاّ فليعرف أنهم لن يسكتوا وهم ليسوا سائبين. لم يضطر بلال إلى المواجهة دفاعاً عن كبريائه. راقته فكرة الزواج. يجد امرأة تؤنسه وتقوم بواجباته، فكتب كتابه عليها

وتزوجها في غياب أم محمود الغاضبة منها. انسترا لبعض الوقت في الجمعية الخيرية، وبلال لا يجد من يقبل بتأجيره غرفة، فالجميع هنا يعرفونه مفلساً لا يأتي عملاً مفيداً، حتى وصل أخيراً إلى المشنوق الذي اشترط عليه دفع إيجار نصف عام مسبقاً، فأخرجت انتصار مدخراتها من أجر تنظيف البيوت وراء أمها وأنقذت الموقف. استقرّا في الطابق العلوي، يجتازان في الدخول والخروج مجلس جيرانهم في الأسفل.
وبدأت انتصار تسأل نفسها باكراً، منذ ولادة ابنها الأول إسماعيل، ما الذي جذبها إلى بلال محسن الذي لم تختبره سوى خلال تلك الدقائق المسروقة في زوايا الأزقة المعتمة. تحسّرت على رفضها شباناً آخرين بعد اكتشافها أن بلال ليس ذا عون يذكر، إذ تضطر إلى العودة إلى العمل ما إن تتدبر أمر مولودها، ولا تلقى بعض العون إلا من زوجة المشنوق التي تقبل الاهتمام بالصغير وضمّه إلى أولادها في غياب انتصار. في هذه الأثناء عاد بلال ينزّه طوال اليوم منظره الأغبر وذقنه نصف المحلوقة، شكله وثيابه وتعاسة قسماته امتداد للأمكنة الرثّة التي يقف فيها ساعات متأملاً حركة السير أو انسياب ماء النهر المعكّرة عند ذوبان الثلوج فوق الجبال العالية. لكنه لا يتراجع عن إنجاب الأولاد. ينتظر نوم الصغير في الغرفة الملاصقة ليقترب من انتصار، يمنعها من تقبيله ومن خلع ثيابها، يهدّئ حراك جسمها، يدخل بها ما إن تبدأ إثارتها وينكفئ عنها فور قضاء حاجته، فتنهض كي تغتسل لتعود وتجده نائماً. يتدخل فقط ليطلق على الأولاد أسماء من أعجب بهم في باب الحديد، هؤلاء الذين نام إلى جانبهم ولم يمت في عدادهم. يضيف صوته إلى صوت الرضيع صارخاً في وجه زوجته، ويصل به الغضب إلى ضربها أحياناً فيتدخل

المشنوق صاحب البيت لفضّ شجاراتهما وهو يأمل في سرّه أن يضع بلال تهديداته المشفوعة باليمين الغليظة موضع التنفيذ. كان المشنوق مأخوذاً بأرداف انتصار عندما لا يمضي وقت طويل على وضعها مولوداً فتعود لارتداء سروال الجينز الضيق، يستنفر ما إن يسمع ضرب كعبها نازلة ليتمتع بالنظر إلى فخذيها الطويلتين قبل أن يبان عليه وجهها فيضطر إلى خفض عينيه. زوجته تتجعد وهي تتقدم في السن بسرعة، مستعد لأن يتزوج انتصار إذا طلقها بلال. يجمع العائلتَين في بيت يحمل وحده مفتاحه، يفرض فيه قانونه ولا يتقاسمه معه أحد.

يوم أنجبت انتصار ابنها الثالث قبل أوانه ضعيف الجسم، خلعة على ما قيل، بسبب تعنيف بلال المستمر لها وهذا ما استبعده الطبيب، هرعت أمها إلى زيارتها باكية. ضبطت أم محمود نفسها لسنوات، صمدت وهي لا تريد الاعتراف بوحيدتها الشقيّة، ثم انهارت في يوم واحد. دخلت الى بيت المشنوق وتوجهت إلى فوق من دون أن ترمي السلام على أحد. سألت انتصار عن زوجها فأخبرتها أنه غائب، لا يلفي على البيت لأيام، ينام في مركز الجمعية، زعلان، لا يتحمّل بكاء الصغير. فتساءلت أم محمود عالياً لماذا لا يزعل أبداً يوم النكاح بل فقط يوم الولادة. أرادت التعويض على انتصار الجفاء كلّه، فتكفّلت بابنها البكر إسماعيل، يقيم عندها وهو في السابعة من العمر حتى "يفرجها الله". وافقت انتصار لأنه سيكون في الجوار، وقبّلت يد أمها التي عزمت في سرّها أيضاً على أن تُعدّ لها ولعائلتها الأكل مرتين في الأسبوع على الأقل.

إسماعيل لم يكن دخل بيت جدّه من قبل. يكتفي بتأمله من الخارج إذا مرّ إلى جانبه. فالجفاء بين أم محمود وابنتها شمله أيضاً. غرف البيت

عديدة واسعة، سقفه عال وأثاثه جميل وقديم بالرغم من تساقط خشب بعض النوافذ وحاجة الجدران الماسة إلى الدهان. أصحابه تركوا السكن فيه من زمن طويل. أخبره خاله أن طبيباً مشهوراً كان يقيم هنا ويستقبل المرضى. لا تزال قطعة الحديد الصدئة التي تحمل اسمه، خريج جامعات لندن، مسمّرة عند المدخل. كان مقصوداً لأمراض القلب، لا يستخدم سماعات ولا آلات فحص، ينحني ويضع أذنه على صدر المريض، ويقال إنه كان يطيل الإصغاء على صدور النساء، فيعرف حال القلب بالتمام ويصف الدواء الشافي.

أمضى إسماعيل عند جدته سنوات جميلة، يزور أمه في البيت أحياناً، تُجلسه في حضنها، تشمّه وتؤرجحه. يلتقي والده مصادفة على أدراج حيّ الأميركان. يجده مقرفصاً فوق إحدى الدرجات، يدخّن سجائر رخيصة، يرفض إسماعيل دعوة والده للجلوس إلى جانبه أرضاً، فيكتفي بلال بملامسته، يعطيه ممّا في يده، جوزة أو ليمونة، لا يجد ما يسأله عنه، ينظر إلى سرواله، إلى حذائه، ثم يتابعه كيف ينزل الأدراج عدواً ما إن يتحرر الصغير من إرباك المواجهة المتلعثمة معه.

رفيق إسماعيل الأول كان خاله الأصغر، يرافقه صباح كل يوم إلى المدرسة الرسمية حيث يدرّس الفيزياء والكيمياء في الصفوف المتوسطة، يوفّر معاشه قرشاً قرشاً، يحرم نفسه حتى من الجلوس في المقاهي ليقوم كل سنة برحلة صيفية إلى بلد بعيد لا يشبه بلاده. زار النروج وفيتنام والأمازون. يعود بالأخبار، يمضي السهرة وهو يصف بلاد الثلج الدائم ومدن ناطحات السحاب، يعطي ابن شقيقته الهدايا الصغيرة، ذكريات ودفاتر وعلباً من أقلام التلوين الخشبية يرسم بها إسماعيل بكل تأنّ، وهو

جالس أرضاً، بيوتاً وعصافير وفتيات مجدّلات الشعور. كانت الأيام هادئة، تطعمه جدّته أطيب المآكل، لا يعاشر من هم في عمره، يتمتع بحركة المدينة وهو متّكئ على حافة الشباك المطلّ على النهر وسوق الأحد ومبنى المدرسة الحميدية الجميل، الذي كانت صورته تزيّن قبل عقود ورقة العملة من فئة الخمس والعشرين ليرة.

يقف بعد الظهر في نافذة البيت قبالة البنايات العالية المطلّة على النهر من الجهة المقابلة، يمسك بقطعة زجاج لمّاع، يلاعب بها شعاع الشمس عندما تميل نحو الغروب، يعكسها فينفجر الضوء في زجاج إحدى النوافذ، يحرّكها يميناً ويساراً حتى يأتيه الجواب أحياناً من يد صبيّ أو صبيّة ممسكة بمرآة مماثلة من على شرفة بعيدة لا تكاد ترى بالعين المجردة، يتبادلان رسائل الضوء كأنهما يتحادثان بلغتهما الخاصة وبينهما أسراب الحمام تزدحم في السماء مع اقتراب المغيب، وطائرة من ورق تحلّق لامبالية بصراخ الباعة ومنبهات السيارات القديمة على الطريق المحاذية للنهر.

وفي الليل، عندما يغرق أهالي حيّ الأميركان في العتمة الكاملة مع انقطاع التيار الكهربائي ويتعب إسماعيل من التحديق في كتاب القراءة على ضوء الشمعة المتراقصة، يعود إلى نافذته فيسرح في تأمل القلعة الصليبية المضاءة من خارجها بواسطة بروجكتورات مثبتة فوق أعمدة، فتبدو بظلالها المرسلة وأسوارها الشاهقة الواقفة وحيدة في ليل المدينة أعلى مما هي في وضح النهار.

يحمل الغداء إلى بيت أهله، ينوب عن جدّته المسنّة المتعبة التي تحاول دائماً تفادي زوج ابنتها، وإذا التقى هو بوالده في الطريق يعطيه حصته

من الأكل وبلال لا يكثر، لا يأكل، يدخّن ويحرد. يرتمي إسماعيل طويلاً على انتصار التي لا تشبع من ضمّه، يلاعب شقيقه الجديد، وفي النهارات المشمسة يوافق على رحلة صغيرة مع والده في الأسواق القريبة، يشربان عرق السوس أو يعرج به بلال على بائع الذرة الصفراء المسلوقة يأكلها إسماعيل بشهية وهما جالسان على طرف البركة الملاحة ثم يعود منها إلى بيت جدّه.

إلى أن ماتت أم محمود وتحطمت فقاعته.

كان عائداً من المدرسة برفقة خاله المدرّس فوجداها في القاعة الكبيرة، جالسة في الكنبة الورديّة اللون الممزقة والتي يخرج صوفها من الفجوات، فاغرة الفم متّكئة على ذراعها اليمنى وبيدها مسبحة لم تعد تفارقها في أيامها الأخيرة. ظنّا أنها نائمة، نادياها فلم تجب، حرّكها ابنها فسقط رأسها على صدرها. أعدّت لهما الغداء قبل جلوسها الأخير، ووضعت اللبن وصحن العجّة بالبيض والبقدونس على الطاولة.

انتهت النزهة التي دامت أربع سنوات. اقترح خاله الاحتفاظ به، تعلّق به، يُكمل ما وعدت به أم محمود، لكن الخال هو من يحتاج إلى العناية، طبخاً وغسيلاً، في سكناه وحيداً لم يعرف كيف يتزوّج. عاد إسماعيل إلى بيت المشنوق فلم يجد له مكاناً في غرفتَي بيت أهله سوى فسحة النوم ليلاً. فرشتَان تغطيان أرض الغرفة يتقاسمهما الأشقاء الثلاثة والصغير يبوّل أحياناً من دون إنذار قبيل الفجر، فيُغرق شقيقَيه، وينامون في اليوم التالي من دون الشراشف التي امتلأت رائحة. الدنيا صعبة، انتصار حامل مرة جديدة ولا تعمل في البيوت، آل العزام مسافرون جميعاً، رجلاها متضخّمتان، وجهها مبقّع، تقسم أنه البطن الأخير،

وبلال يراجع أحداث حياته، يجالس المشنوق صامتاً لبعض الوقت أمام التلفاز ثم يسيح في الجوار.

مثله طُرد إسماعيل إلى أدراج الحارة وأزقّتها، فدخل عصابة "أولاد الأميركان" حيث مرّ بامتحان في ليّ السواعد وإعادة إشعال أنصاف السجائر المرمية أرضاً والتحرّش بالفتيات، حتى إنه أثبت نفسه باكراً في واقعة تناقلها أترابه بإعجاب. كان يسير مع أخيه المريض، يتنزّهان، الصغير يحبّ الخروج إلى الشوارع والتفرّج على واجهات المحالّ، إسماعيل يصبر عليه، يجيبه عن أسئلته الساذجة، يشتري له البوظة بصبغة التوت إذا تيسّر له شيء من المال. انتبه فجأة إلى أن هناك من يسير خلفهما بإصرار. شابان لا يتجاوزانهما، يتوقفان عندما يتوقفان. التفت إسماعيل بسرعة فوجدهما يقلّدان مشية أخيه المخلّعة، يبالغان ويخنقان ضحكتيهما ممّا هما فاعلان. نبّه أخيه:

قف هنا، لا تتحرك، أنا عائد.

أمسك بواحد منهما، رماه أرضاً، لم يجد ما يضربه به فنطحه برأسه وأخوه يصفّق له قدر ما يستطيع. تجمّع المارة فأبعدوا إسماعيل عن غريمه الذي بدا في غاية الصدمة والدم يسيل من جبهته. لكنه تمكن من التوعّد:

سأشكوك في المخفر.

أجابه إسماعيل بحزم:

قل لرفيقك إنه لن يفلت مني!

خاله تعهّد دروسه، راجع معه جميع المواد وساعده على النجاح في الشهادة التكميلية قبل أن يغرق في إدمان الكحول. وحده في البيت الكبير، يحلم بالبلدان التي زارها وبالنساء اللواتي لم يفز بهنّ في رحلاته.

يحتقر أهل الجوار ويعتبر نفسه سجيناً في هذا الحيّ التعيس. صار خلقه ضيّقاً يوماً بعد يوم، يصرخ في وجه تلامذته ويضربهم أحياناً. بدأ بتناول الحبوب المهدئة من دون وصفة طبيب، وغرق ليل نهار في هواجس لم يكن هناك من يصغي إليها. حصل على تسجيل للخطاب الذي أعلن فيه جمال عبد الناصر تنحّيه عن رئاسة مصر بعد هزيمة جيشه في حرب حزيران عام ١٩٦٧. انتظر يوم ذكرى التنحّي هذا، بدأ بشرب الويسكي فور عودته من المدرسة وهو يستمع إلى خطاب الاستقالة رافعاً الصوت إلى أعلاه، وراح يعيده ويعيده ويبكي حتى منتصف الليل.

تسجّل إسماعيل في مدرسة مهنيّة في فرع الميكانيك، وكان فرحاً في الأيام الأولى ببذلة الأوفرهول الزرقاء التي يُمنع عليه حملها معه إلى الخارج، لكنه لم يتحمل الفروض والأساتذة المقطّبي الوجوه فصار يحضر يوماً ويغيب أياماً. يسير في اتجاه المدرسة صباحاً، وقبل أن يصل يتوقف فجأة ويعود أدراجه، يشعر بأن النهار بأكمله ملك له. يمرّ على دكّان خاله محمود فلا يحصل منه حتى على ردّ السلام، فينتقل لانتظار خاله الأستاذ كي يخرج من باب المدرسة متعثراً تعباً ويداه ترتجفان عند استراحة الساعة العاشرة ليشتري السجائر فيعطيه بعض النقود. لكن لم يمضِ وقت طويل حتى أُدخل خاله إلى المستشفى الحكومي إثر وقوعه وهو مخمور فكسر كتفه وكاد يفقأ عينه، فانقطعت النقود عن إسماعيل بعد أن انقطعت عنه المساعدة المدرسية، إذ لم يعد خاله مقتنعاً، وسط هواجسه المتعاظمة، بضرورة العلم، وكان عاد بهذه الفكرة من رحلته الأخيرة إلى بلاد الأنكا كما سمّاها.

تسأل انتصار إسماعيل عن المدرسة فيعطيها أجوبة كاذبة أعدّها

سلفاً، إلى أن ظهر يوماً وقد حلق شعره على جوانبه وترك خصلة صبغها بالأزرق والأحمر، فبكى أخوه الأصغر منه لأيام يريد أن يقلّده، ولما يئس الصغير أخبر انتصار انتقاماً أن أخاه دقّ أيضاً وشماً على ظهره. رفعت انتصار عنه قميصه وهو نائم لترى رسماً مخيفاً لمخلوق بأجنحة، فاغر الفم بارز الأنياب والأظافر، فأيقظته لتسمعه يقول بلامبالاة إنه ملاك الموت.

مع الولادة الجديدة لانتصار، صار البيت يضجّ بصراخ الرضيعة ليل نهار، تهرع زوجة المشنوق لمساعدة أمها على إسكاتها بالماء والسكّر وهي تنام ساعتَين وتبكي باقي النهار كأن سكيناً يخترق أحشاءها. أقسمت انتصار على ألا تدع بلال يقترب منها بعد اليوم، لا تريده ولا تريد رائحته، تضع المولودة الصغيرة بينهما ليلة يقرر النوم في البيت وانتهى الأمر.

في هذه الأثناء كان إسماعيل في أيام الصحو يمضي الليل ساهراً على الأدراج مع العصابة، جالساً في وضعية تشبه وضعية والده الذي كان يطوي ساقيه أمامه ويطوّقهما بيديه، يتشاتم مع رفاقه أو يخططون معاً لأفعال غير محمودة. ينتظرون في صباح أيام الآحاد قدوم نساء مسيحيات للاحتفال بالقداس في كنيسة السيدة المغلقة الأبواب في أعلى حي الأميركان، يتفرجون عليهن يتوافدن في صف طويل وعلى رؤوسهن مناديل لا تشبه حجابات أمهاتهم، يرافقهن كاهن شاب، يقيم لهن الصلاة، بينما يتلصّص عليهم أبناء المسلمين من فتحة الباب ويتغامزون، خصوصاً عندما تعبق رائحة البخور ويرتفع صوت الكاهن بالتراتيل السريانية ثم يرفع الكأس عالياً وتمرّ النساء بالدور أمامه للمناولة،

أو يسطون على الشيخ المقيم في الحي، واختصاصه كما هو مكتوب على الجدار شفاء البواسير والأكزيما والجرب والبرص والكهرباء في الرأس والصرع والتعلبة والسرطان وجميع الأمراض بإذن الله. أخبرهم صبي رافق شقيقه المصاب بالحوَل يوماً إليه أنه يعرف الدُرج الذي يضع فيه ماله. دخلوا دفعة واحدة إلى جحره وهم يضجّون. كان ينام جلوساً، فلما سمع وقع الأقدام والأصوات، حسّن قعوده وراح يقرأ القرآن المفتوح دائماً أمامه على الطاولة. أحاطوا به من جميع الجهات، وتقدّم منه إسماعيل مدّعياً أنه يشكو من وجع المحالب، فطلب منه الشيخ أن يُنزل بنطاله وسرواله الداخلي، وعندما انحنى ليدهن له ما بين فخذَيه بمرهم أسود راح رفاقه يتغامزون ويضحكون. اختلسوا النقود من الدرج وأعطوا الطبيب العربي القليل منها بدل أتعابه، فطالب إسماعيل الذي غرق بالمرهم بالحصّة الأوفر نظراً إلى تضحيته المشهودة، فأعطوه حصّتَين وتوزّعوا الباقي قبل أن يتفرقوا لأيام بطولها. اختفوا من الحارة وقصدوا ضاحية المدينة إلى الطاحون القديم حيث المياه عميقة والقصب عالٍ، يغطسون عراة ويخرجون برائحة المجارير التي تصبّ في النهر من جميع القرى العالية التي يلتفّ حولها.

تطوّع مقابل القليل للوقوف عند مفارق الشوارع ينتظر حتى يُنزل بعض السائقين زجاج سياراتهم ليأخذوا منه قصاصات الدعاية الملوّنة لمطعم أو لمحل بيع الألبسة، حتى توقفت مرة إلى جانبه سيارة فخمة تقودها سيدة تضع نظارات شمسية سوداء تخفي نصف وجهها، اقترب منها فلامست خدّه بيدها وأعطته ورقة المئة ألف ليرة وانطلقت في زحمة السير. تسجّل بالمال في نادي كمال الأجسام عند مدخل خان

الخيّاطين، يرفع الأثقال ويسعى إلى نفخ عضلاته، استأجر بما تبقى له من مال دراجة نارية وجاب بها شوارع المدينة حتى وصل إلى المرفأ حيث وقف ينظر إلى البواخر المبحرة.

اقتربت الانتخابات النيابية، فاكتست واجهات أبنية الحارة المطلّة على المدينة والمتدرّجة نزولاً بصور الزعماء يتأمّلها العابرون وسائقو السيارات من تحت، من على الطريق المزدحم. يدفع وكلاء المرشحين خمسين دولاراً لصاحب البيت فتُرفع على واجهته سيبة خشبية عليها بورتريه عملاق مبتسم مع شعارات مقتضبة، "من الشعب وإليه"، "رمز الوفاء"، فيُحجب الضوء لشهرين عن البيت برضى ساكنيه. تضاعفت الصور هذا العام عندما دخل السباق إلى النيابة متموّل جديد قيل إنه صنع ثروته الطائلة من تجارة الهواتف المحمولة وشعاره "الأصيل". صار يعرض مبلغ مئة دولار وصندوقاً من المواد الغذائية للصورة الواحدة، فتحول حيّ الأميركان إلى معرض دائم متعدّد الألوان، بينما راح أحد المشايخ الشبّان العائد حديثاً من باكستان يدور في أزقة الحيّ ويصعد أدراجه محرّضاً، تارة يقول إن تصوير كل ما فيه روح من الإنسان حرام لأن في ذلك مضاهاة لخلق الله، وطوراً ينتقد شراء الأصوات في الانتخابات داعياً إلى رفض الاقتراع برمّته لأنه مخالف لأحكام دولة الإسلام. أصغى إليه بعض الشبان، وتحمّس إسماعيل فنظّم العملية ليلاً، ولم يطلع النهار إلاّ وقد نال القسم الأكبر من صور المرشحين حصته تمزيقاً وتشويهاً، والصعبة المنال منها قُذفت عن بعد بدهان لطّخ فم المرشّح الجديد ونظّارته فسارع مدير حملته إلى إرسال من ينزعها لفرط ما تشوّهت هيئة صاحبها.

بعد أيام، طرق رجال الأمن باب البيت عندما ورد اسم إسماعيل محسن في بلاغ البحث والتحرّي، تركوا له خبراً بأن يعرّج عليهم في المخفر، الرقيب أول يريد أن يطرح عليه بعض الأسئلة فقط. لكنّ انتصار خافت عليه فلم تجد أفضل من تخبئته لدى آل العزّام بعد أن عاد عبد الكريم من السفر ليفتح البيت من جديد. هكذا اشتهرت فعلة إسماعيل في حيّ الأميركان وصارت تلصق به أفعال لم يقم بها.

سمع به ياسين الشامي، فاستدلّ عليه وعرض عليه مساعدته في الفرن، يبيع فيه ياسين المناقيش واللحم بعجين، يقف الزبائن عنده إلى منضدة من الرخام أمام صحن رقيق من البلاستيك يملأه باللبنة مع زيت الزيتون وأرغفة خبز صغيرة مقمّرة، فيأكل الجائع ووجهه إلى الجدار وليس أمامه سوى جدول ملوّن وبالتسلسل الأبجدي لصحابة الرسول ومآثرهم، من جعفر الطيّار إلى عبد الله بن عباس الذي لقّب بالبحر إلى عثمان بن طلحة الذي أعطاه النبي مفتاح الكعبة يوم الفتح. يدير ياسين وجهه إلى بيت النار، يعدّل لهيبه ويُخرج منه المعجّنات المخبوزة بواسطة اليد الخشبية الطويلة، يطلب من إسماعيل أن يُبقي نظره في الاتجاه المعاكس، نحو الزبائن، هما ظهراً إلى ظهر، وينبّهه ألا يمسك مالاً بيده، بل أن ينتظره هو كي يفتح الدرج حيث لمح إسماعيل من اليوم الأول قنبلة يدوية خضراء اللون مضلّعة يدفعها ياسين بيده إلى الخلف كلما فتح الدرج ووجدها متدحرجة إلى الأمام. كان ياسين لطيفاً، يحاسب إسماعيل أسبوعياً كما هي العادة في ملبورن حيث أمضى سنوات منفياً، وعندما يلمح إخوة إسماعيل الصغار يطلّون برؤوسهم من باب الفرن ويرسلون إليه ابتسامات وإشارات، كان الشامي يصرّ عليه أن يحمّلهم

٧٠

منقوشة بالجبنة أو رغيفاً ساخناً خارجاً لتوّه من بيت النار يفتحون فجوة صغيرة فيه فيخرج عبرها البخار كثيفاً ويطيب أكله "حاف".

بعد أشهر قليلة على إدارة ظهره إلى باب النار، بانت في سلوك ابن بلال محسن تلك الجمدة التي تكاثرت الإصابة بها لدى شبان يهتدون في آخر العقد الثاني من العمر. هو الذي كان يصعد إلى أعلى الحيّ ثم ينزل الأدراج إلى آخرها طائراً على مزلاجين من خشب تكفي انزلاقة صغيرة منها لتحطيم عظامه. صار يمشي وحيداً مطرقاً لا يسرع الخطى. انفضّ رفاق الحيّ من حوله واحداً تلو الآخر، كأنه تقدم عليهم في السنّ، وصار إذا كلّمهم فلكي ينهاهم عن هذه وتلك من أفعال اعتادها معهم. اعتقدوا في البداية أنه يمثّل عليهم، ثم أهملوه وهو يثابر على الصلوات الخمس يومياً، يُضحك أخاه الثاني في نعاسه عندما يقوم فجراً للوضوء والركوع، أجّل إرخاء لحيته بناءً على نصيحة شيخه الذي فضّل له الانتظار إلى أن تصبح كثّة، ووعد نفسه معها بالثياب الشرعية.

لم تقرّ انتصار بينها وبين نفسها بأن ابنها تغير حتى سمعتها من جارتها زوجة المشنوق. عقلان، قالت لها، لا يمرّ بهم في ردهة المدخل إلاّ ويبادرهم بـالسلام عليكم، من دون أن يرفع نظره نحو النساء. فرحت به انتصار عندما لاحظت أنه يحتفظ بالمصحف تحت مخدّته، كما كبر قلبها به يوم رأته لأول مرة يخرج من جامع العطّار وسط حشد الرجال عقب الصلاة، فصارت تتباطأ في مشيتها كي تطيل النظر إليه. صار يمتنع عن التسليم باليد على النساء، ثم اشترى لها هذا الثوب الشرعي، رماه على الفراش قائلاً إن النساء يجب ألا يرتدين ثياباً ضيقة. قام ذات يوم بما كان يصعب عليها توقّعه، رتّب فراشه بنفسه، طوى ثياب نومه

بعناية، حفّ أسنانه بالفرشاة والمعجون، صلّى الصبح ومشى. بدأت تلاحظ عليه ما وصفته لها جارتها، ترى شيئاً هارباً في عينيه، نظرة مواربة، يتحاشى التطلّع إليها عيناً بعين، تناديه باسمه وهي تحدّثه، تدلّله عن قصد بكلمة حبيبي، يغيظه الدلال فيجيبها باقتضاب شديد وصوت جامد من حيث هو من دون أن يستدير. لأول مرة بدأ يدّخر مالاً من عمله، يسندهم، يدسّ قسماً من أجرته في جيب بنطلون والده وهو نائم، ويتكفّل بشقيقه المريض. ثم انتبهت إلى صوته، صار عريضاً كأنه يخرج من غير مكانه المعتاد، أقلع عن الضحك والمزاح، هادئاً لا ينفعل، يصبر على تهكّمات رفاقه، يصبر على كل شيء، وتجده أمه عند عودتها من بيت العزّام جالساً وحده هادئاً في الغرفة يتأمل، سارحاً في فراغ الجدار الأبيض المبقع أمامه.

لزمه أشهراً في الفرن، لكنه صنع انقلابه في البيت في يوم واحد.

عند الصباح أوصَت انتصار بلال على عادتها، عندما تعرف أنها لن تكون في استقبال الأولاد لدى عودتهم بعد الظهر إلى البيت:

اشترِ بيضاً وجبنة بحبّ البركة، أنا مضطرة إلى التأخر في بيت العزّام.

تزن كلماتها ولهجتها وهي تتوجه إليه، تخاف أن يغضب.

أضافت:

... واشترِ خبزاً وزيتوناً.

راجعَتها كي لا ينسى بنداً منها:

بيض وجبنة وخبز وزيتون.

وهرولت نزولاً، اختفت قبل أن ترى الامتعاض في حركة يده وعلى قسمات وجهه.

لكن في طريق عودتها خافت أن يكون قد أهمل الطلب، فعرّجت على الفرن وعلى السمّان واشترت الأكل. دخلت وبيدها الأكياس. لم تتوقع أن تجد زوجها في البيت في تلك الساعة. رآها فاستشاط غيظاً.

قلتِ في نفسك إني سأترك الأولاد من دون أكل، أليس كذلك؟ لكنك تركتَهم!

ربما تسرّعت في جوابها.

كل يوم خلقه الله تضعه أمام عجزه. لا يشهر إفلاسه الدائم بإخراج جيوبه الفارغة المثقوبة كي تشهد عليه، لا يحكي ولا يؤلّف عذراً. فقط يصرخ في وجهها ويرفع يده عليها. هي تحافظ له على رجولته ولو احتيالاً، تطلب منه أن يُصلح الغاز لأن رائحة التسرّب دائمة في المطبخ، لا يفعل، تأتي بمن يُصلحه خلسة عنه ولا تخبره، كأنه هو أصلحه. تتقبّل صراخه، تتحمّل دفعة منه أو ضربة على كتفها.

كان سينهال عليها ضرباً لما ظهر إسماعيل فجأة وأمسكه من معصمه وعيناه تلمعان. صودف وصوله إلى البيت خلف أمه، لكنه تمهّل على الدرج عند سماعه صراخ والده، انتظر على أمل أن ينتهي العراك، لكنّ دمه لم يحمله عندما أيقن أن والده سينتقل إلى الضرب بعد أن تلعثم في الصراخ والشتائم.

حاول بلال الإفلات لكنّ قبضة إسماعيل كانت قوية. صرخ به:

لن تضربها!

أنذره للمستقبل أيضاً. باليد والصوت.

خرج إسماعيل من حيث لم يتوقعه أحد، مصمّماً، حديدياً، ينظر مباشرة في عينَي والده. أرخى بلال عضلاته فأفلته إسماعيل.

اصطدم به قبل ذلك مرة واحدة عندما سعى إلى قنينة الويسكي الرخيصة التي خبّأها في المطبخ فلم يجدها، فأقرّ إسماعيل بأنه رماها ولن يقبل بدخول الخمر إلى البيت، متوعّداً والده بنار جهنم ومعدّداً له أفعاله الشنيعة بصوت عال:

لا تصلّي ولا تصوم وتشرب أيضاً؟

لم ينم بلال في البيت تلك الليلة، هام هنا وهناك، هدأت فورته وانتابه شعور عميق بالرضى، سعادة لم يكن يعرف لها تفسيراً. تمدّد في النهاية كالعادة في ملجئه السرّي، فوق فرشة الإسفنج في مركز الجمعية الخيرية. نام جيداً وانتظر صباح اليوم التالي ليعود إلى البيت. انتظر في الخارج، جلس على الدرج، ولما خرج من الباب أحد أبناء المشنوق طلب منه أن ينادي على إسماعيل.

بعد قليل وقف إسماعيل في الباب، قسماته مشدودة، مستعداً للمواجهة من جديد.

تعال.

طلب منه بلال وهو ينهض ويمشي أمامه نزولاً.

بدا الأب مصمّماً، لن يقبل الرفض.

الى أين؟

كرر بجديّة:

الحقني.

اجتازا السوق، الابن يتبع الأب والسرّ الموعود يحفّزه. مع وصولهما إلى المستديرة، سأله من جديد إلى أين؟ فلم يجبه، بل أمسكه من يده وعبرا عدْواً الطريق السريع. انكشفت الدنيا هناك حتى البحر، أراضٍ واسعة

٧٤

جرداء تتكوّم فيها تلال من التراب الأبيض وتتناثر فيها كل أنواع البقايا. أشار بلال لسائق شاحنة يعرفه فتوقف، وصعد الاثنان في الخلف مدلّيين أرجلهما وإسماعيل منقاد له عساه يعوّض عن شجار أمس. نزلا بالقرب من محطة القطار. توقف بلال على بعد مئة متر تقريباً.

هنا!

قال بينما لا يتوقف إسماعيل عن النظر إليه مستغرباً، بعد أن يئس من انتزاع أي استفهام منه. تركه يُكمل استعراضه. التفت بلال إلى الخلف وأشار بيده إلى البعيد:

وصلنا سيراً على الأقدام في الليل، من هذا الاتجاه، لا قمر ولا ضوء يفضحنا، لكن هذه الأراضي كلها كانت مزروعة بالليمون والشباب يعرفون طرقاتها غيباً.

نظر بلال حوله في جميع الاتجاهات وكأنه أدرك الأمر لتوّه فتعجّب: لم تبقَ شجرة واحدة...!

عاد إلى النقطة التي أشار إليها، إلى جانب بقيّة سياج أحد البساتين: ركعنا هنا، صوّبنا، عددنا ١_٢_٣ وأطلقنا قذيفتي الآر بي جي معاً. انفجار واحد، ونحن نصرخ خذوها من يد الشيخ عماد. ومن يد عمر، أضاف أحدنا ونحن نقف لننسحب. احترقوا بنار جهنم، رأينا اثنين منهم يقفزان من القاطرة وهما مشتعلان.

تعرف الضرب بالآر بي جي؟

سأله.

لم يلتفت إليه بلال و لم يجبه. راح ينظر في اتجاه آخر ليخفي دموعه. تركه إسماعيل وتقدم في اتجاه محطة القطار، اقترب من القاطرة السوداء.

تمالك بلال نفسه مع عودة إسماعيل نحوه:

أكملنا عليهم بالرشاشات وعدنا في ظلام الليل.

قالها بسرعة، لا يريد الإطالة في سرد بطولاته، ثم طلب من ابنه ألا يخبر أحداً.

وخصوصاً لا تخبر أمك!

يعرف أن انتصار نقطة ضعفه.

في طريق العودة، كان إسماعيل هو أيضاً راضياً في قرارة نفسه، والده ليس جباناً أو عديم النفع، ليس عليه أن يخجل به، لكنه يتردد في الحكم عليه وسيسأل شيخه في الجمعية. بلال سكت أيضاً. فعلته ضد الذين قتلوا الشيخ عماد أبلغ من الكلام. فقط عند وصولهما إلى أسفل أدراج الحارة وضع يده على كتف إسماعيل وهمس له:

هناك مسدس مخبّأ في البيت، صار لك، انتبه لنفسك ولإخوتك.

أين؟

سأله إسماعيل.

تحت الفراش، إلى الجهة التي أنام فيها أنا... ليس فيه سوى ممشط واحد.

بدا كأنهما يتودّعان استعداداً لفراق طويل. ذلك أن بلال أحس بعبء ينزاح عن كتفيه، وصار إسماعيل رجل انتصار بعد أن تقاسمته لبضع سنوات مع أمها. صار بإمكان بلال أن يغيب عن البيت، ينام خارجاً، يهرب مطمئناً إلى أن انتصار عادت تكسب مالاً يكفي الأولاد قوتاً ولباساً مع عودة ابن عبدالله بك العزّام من السفر واستقراره في بيت أهله.

- ٤ -

رأى عبد الكريم العزّام فاليريا دومبروفسكا للمرة الأولى في ساعة الزحمة في أوتوبيس النقل العام الباريسي على الخطّ ٢١.

تلفّ جسمها بمعطف أسود مفتوح تربطه بشريط عند العنق ويتّسع لامرأتَين بحجمها. جلست على المقعد بجانبه، رسمت مربعاً بإصبعها على زجاج الحافلة المغطّى ببخار الرطوبة، أخرجت من حقيبتها شالاً وغطّت عنقها، ولما نهضت للنزول، بقيت محفظتها الجلدية الصغيرة فوق المقعد. لحق بها، شكرته بلكنة غريبة، دعاها إلى المقهى القريب، جلست من دون أن تتخلى عن معطفها، اكتشف أنه يتكلم الفرنسية أفضل منها. اكتفت بالماء وحدست أنه جديد الإقامة في باريس. غادرت بعد دقائق، وقبل أن تنصرف وضعت على الطاولة مغلّفاً وبداخله بطاقة، وقالت إنه لا داعي هذه المرة لأن يلحق بها لإعادتها، فهي له.

تركت وراءها دعوة "خاصة" لحضور "كسّارة البندق" في أوبرا الباستيل وعينين زرقاوين واسعتين تقولان لك إنها لم تكن تنتظر في الدنيا سواك، معجبة وفرحة بكلماتك قبل أن تخرج من فمك كأنك اكتشافها الثمين. ثم تمشي فجأة، تردّ القبعة المكملة للمعطف الأسود

على رأسها وتجتاز الشارع تحت رذاذ مطر خفيف، من دون أن تلتفت وراءها لتختفي في زحمة الأرصفة.

بعد أيام، حضر المسرحية ولم يدرك أنها كانت طوال العرض ترقص أمامه وهو غير دارٍ بها إلا عندما اقتربت بدورها برفقة كوكبة من الراقصات من مقدمة المسرح لتحية الختام. تسارعت دقات قلبه لما اكتشفته العينان الواسعتان في الصفوف الأمامية.

وقف محتاراً في محلّ الزهور القريب فأنجدته البائعة:

لمن تريد إرسال الزهور؟

لراقصة... الباليه.

الإيريس الأبيض طبعاً...

جارة الأوبرا ومعتادة على المعجبين. استلّت زهرة منها ورفعتها في وجهه وهي تحرك جذعها بين أصابعها كي يتمايل رأسها الطريّ.

راجع كتيّب المسرحية في يده، نقل اسمها، أغمض عينيه وكتب:

"مذهول!"

والتوقيع:

"راكب الأوتوبيس على الخطّ ٢١، محطة اللوكسمبورغ".

لم يضف رقم هاتفه من باب اللباقة، وقف لثوانٍ عند الضوء الأحمر معانقاً باقة الإيريس، وعندما أضيء الرجل الأخضر الصغير لم يعبر إلى الرصيف المقابل. فجأة، تخيّل نفسه أمامها، إذا عرف كيف يصل إليها في مقصورتها خلف المسرح تنزع عنها ثياب الرقص وتزيل المساحيق عن وجهها، واقفاً مُحرجاً لا يجد الكلمات، يضيّع سحر قصته معها بفعلة ناقصة، فعاد أدراجه إلى المتجر، أرسل الباقة مع عامل التوصيل

ورجع إلى بيته سيراً على الأقدام في ليل باريسي لطيف مائل قليلاً إلى البرودة، لا يعرفه فيه أحد. يمشي وهو يصفّر طرباً ويخطو مستمتعاً بخطواته، بحذائه المريح الجديد، بالرجل الطويل القامة ينزّه الكلب الصغير الذي ألبسه كسوة من الصوف الأزرق على ظهره، بالفتاتَين الجنديّتَين تسرعان الخطى، تتهامسان ثم تضحكان عالياً.

أكثر من النبيذ الأحمر ونام.

في اليوم التالي استيقظ ضاجّاً بصخب المشاعر، اجتاحته موجة حنين مثل ما تتمدد مياه البحر فوق رمل الشاطئ، عاد لمّاعاً عطوباً. انزوى في شقته تراوده صورة راقصة "كسّارة البندق" المتمايلة بجلبابها تحت مطر باريس أو المنحنية ببياضها الناصع للمصفقين وقوفاً، تختلط في رأسه مع صورة أوفيليا الجميلة بثوبها من المخمل الأزرق تطفو كزنبقة كبيرة على سطح الماء.

ثم شغلته شؤونه الباريسية، يتردد على الشركة السعودية للمقاولات. يُفترض أنه مساعد للمدير فيها، وظيفة سهلة مقابل المال الذي يرسل إليه شهرياً، لا يلقى اللوم عندما يغيب عنها، يزور دائرة شرطة العاصمة لتجديد إقامته فيرسلونه إلى الطابق العلوي، المكتب الرقم ٣٦، حيث صافحه شاب جميل يضع بابيوناً مزهّراً، وربما يصغره سنّاً. بادره بالقول إنه يعرف إلى أيّ عائلة كبيرة ينتمي، وإن جدّه كان يقود التظاهرات في وجه سلطة الانتداب الفرنسي، لكن الأحوال تغيّرت. أعطاه بطاقته الشخصية ووعده بأن إدارة الشرطة مستعدة لمنحه وثيقة إقامة لعشر سنوات.

يرتاد السينما التي حرم من عتمتها في صغره، يبدأ صداقات عابرة ثم

يراها من جديد. تنظر إليه من على لوحة الإعلانات في محطة الأوتوبيس، تؤدي خطوة راقصة إلى جانب زميلتَين لها، وقوفاً على رؤوس الأرجل خلف نجم "دون كيشوت". كانت تنظر إليه أيضاً في اليوم نفسه، أوفيليا البيضاء المفتوحة العينين، من على جدران محطات المترو، من جانب أكشاك بيع الجرائد، من صفحات دليل باريس للسينما والمسرح.

بدأ مطاردتها.

فاليريا، مولودة في بلغراد، تنتهي حياتها الفنية في سنّ الأربعين. فعل كل ما يمكن فعله في مدينة مثل باريس، أرسل إليها باقة ثانية من الإيريس الأبيض، ومرة جديدة لم يجرؤ على إيصالها بيده، كتب على البطاقة فقط كلمة "عيناكِ" من دون توقيع. نسيها ثم تذكرها، انهار خلال سعيه، خرج مع نساء لا يعرف كيف يحقق متعة ما معهن. كلما رآها تنظر إليه من خلف الفارس الحزين عاد إلى البحث عنها حتى عثر عليها، وجهاً لوجه عند زاوية الشارع فصرخت فرحة:

أنت؟

اندفعا إلى أقرب مقهى، لم يعرف من أين يبدأ، بقيا صامتَين لدقائق حتى هدأ روعه وبدأ يحكي عن الفارق بين مدارس الباليه وبين أنواع الأوبرا والأوبريت والأوبرا بوفّ، وهي تبتسم ولا تحيد نظرها عنه، تقرأ ما يقوله في قسمات وجهه أكثر مما تسمعه من كلماته. بدا حقيقياً نضراً، اختفت الحركات العصبية التي تأكل وجهه ما إن ترك نفسه هكذا على سجيّتها.

أخرج كل ما في قلبه:

رسمتُ دائرة بقلم الفوتر الأحمر حول رأسك المكلل بالتاج

فوق جميع الملصقات الإعلانية التي وصلت إليها يدي، جلست من دون جدوى في المقهى المقابل لمدخل مركز الفرقة حيث يفترض أنك تتمرنين. اتصلت بصديق لي في الشرطة الفرنسية، فوجئ بطلبي لكنه أعطاني عنوان إقامتك المسجّل في الدائرة. هكذا عرفتُ أنك تسكنين في الجوار، فتعمّدت المرور في شارعك هذا كل يوم في ذهابي وإيابي، في خروجي إلى العمل أو إلى التبضّع، حتى التقيت بك.بموجب احتمال إحصائي لا بد أن يتحقق وربما جاء حدوثه متأخراً، في لحظة كنت بدأت أنسى تقريباً لماذا أقوم بهذه الاستدارة.

وها أنا!

أنهى اعترافاته بانحناءة أمام جليسته تشبه انحناءتها هي أمام الجمهور بعد ذروة موسيقية. لم تسأله عن اسمه، أمسكته من يده وخرجا صامتَين باتجاه ضفة السين، وقفا على جسر ألكسندر الثالث، فنظرت مرة إلى وجهه ومرة إلى صفحة ماء النهر:

من أين خرجت؟ أنت هدية عيد ميلادي.

فصار ظلّها.

تنزل من شقتها إلى الشارع فتجده ينتظرها عند مدخل البناية، يرافقها إلى المسرح، يحضر العروض كلها، تخرج من باب الفنانين عندما ينفضّ عقد فرقة الرقص فتجده واقفاً بهدوء، تبتسم حياءً من زميلاتها، يعيدها إلى بيتها، يمشيان قليلاً، تكون تعبة فيستقلان التاكسي، تقبّله على وجنتيه ويفترقان. تسأله في اليوم التالي:

ألن تضجر منّي؟

يذكّرها بمواعيدها، يختار معها ثيابها، يحمل مشترياتها، حتى دعته

يوماً إلى شقتّها. استديو كبير، نافذة عريضة تغرق المكان بضوء الخارج، وسرير كبير لراقصة نحيلة. مخدات مرمية أرضاً، تلفاز، كتب وأحذية رقص وردية وبيضاء في كل مكان، وأربع أشجار أقزام مُوضوعة على رفّ إلى جانب النافذة طلباً للنور.

قدّمت له الشاي وهي تقول بلكنتها الغريبة:

حياتي صغيرة كما ترى، أعتني برجليّ وبأشجار البونزاي فقط.

تعرّف إلى الأرجل، أرجل الرجال وأرجل النساء، المصرية واليونانية، ٢٨ عظمة، أكثر من مئة رباط و ٢٠ عضلة. تلتهب، تنتفخ، تغرز الأظافر في اللحم، تقف الراقصة على رؤوس أصابعها، تطقطق العظام، يستفيق وجعها الحاد أحياناً في منتصف وصلة الرقص المنفردة، تمددهما فوق الأريكة فيجلس عبد الكريم إلى جانبها، يضعهما في حضنه كمن يملك كنزاً، يمسّد أصابعها، يدهنها بالمرهم، يفصل بعضها عن بعض ويلفّها بعناية بالشاش واحداً واحداً كي تستريح. تعانقه وتطلب منه البقاء، فيمضيان الليل لا يغمض لهما جفن، يغرقان في شغف القبل التي لا تنتهي ثم تلتف على نفسها لتغور صغيرة في حضنه وتنام مع طلوع الفجر.

يعود طوعاً في الصباح إلى مكاتب الشركة حيث يجد نفسه يهتم برجال أعمال من أبناء جلدته يمضون إجازة في العاصمة الفرنسية، ويشترون الثياب الفاخرة والحليّ نهاراً، ويخططون للهو ليلاً. يجري مكالمات هاتفية، يلغي موعداً، يلاطف السكرتيرة الفرنسية ويسارع إلى مرافقة راقصته إلى جلسات التمرين. حصلت له على إذن بالدخول إلى البهو الكبير المليء بالمرايا، وجد نفسه مع برتران المصور الذي

يتابع التمارين بانتباه شديد لساعة من الزمن، صامتاً محدّقاً بحرارة، ثم يقف فجأة ويبدأ، ينحني، يقرفص، يبتعد ويقترب، يلحق بهنّ إلى كواليس المسرح وهو يمطرهن بالصور. اعتدن وجوده فأقلعن عن أي افتعال فيما هو يلتقط خطواتهن واستراحاتهن، ثرثراتهن، ضحكاتهن وأوجاعهن المكتومة. رافقه عبد الكريم إلى محترفه، صار برتران صديقه، صور الراقصات عنده في كل مكان ونسخ عن رسوم تولوز لوتريك وإدغار دوغا. برتران يقول إنه يحاول أن يفعل بالصور الفوتوغرافية ما فعله الرسامان بالزيت أو بالباستال، أضواء معاكسة وخيالات، ورود متفتحة، هشاشة الأجساد، زوايا التعب السوداء، يلتقطهن جماعة متكتلة، أذرعاً وأرجلاً وضوءاً مركّزاً على كتف أو شعر، لباس التول الشفاف الملوّن، شرائط شعر فاقعة، زهرة تتفتح. أعطاه صورة كبيرة لفاليريا، بالأسود والأبيض.

فاليريا التي تأكد عبد الكريم أنه شفي بها. هجر بفضلها أطواره المضطربة لسنوات ونسي فجواته المعتمة، ثبت، عام فوق ماء الأيام، ينام جيداً. وجدت شقيقته وجهه "منوّراً" في زيارتها لباريس مع ولدَيها الصغيرين، فرافقهم إلى "أورو ديزني" وحملهما على كتفَيه على رصيف جادة الشانزيليزه وهما يصرخان فرحاً. صار فعّالاً في وظيفته، يرتّب الأولويات، يحسن تسويق المشاريع وتشجيع عمليات البيع والشراء، ويسارع إلى العودة إليها. يخاف فقط عندما تتكلم طويلاً على الهاتف بلغتها الصربية وبنبرة أخرى، بحدّة الشجون العائلية، مشاكل غامضة بعيدة عنه، يتغيّر صوتها وينكمش جسمها اللين قبل أن تقفل الخط وتمشي نحوه، تفتعل الابتسام في وجهه لتخفي غضباً في داخلها وهي

تقول أمي أو بلغراد في إشارة إلى مصدر المكالمة الهاتفية. يتبادلان القبل من جديد، ينظر أحدهما في عيني الآخر، يعلنان حبهما الأبدي، يخافان الفراق، إذا أضعتُكَ بمن أتصل، وأنا إذا أضعتُكِ؟

لا تسأله عن عائلته، لكن يوم عاد من جنازة والده وقرأ لها ما كتبه في فراغات صفحة الجريدة وهو جالس في الطائرة خلال رحلة العودة المتلهّفة إلى باريس: "أبي جسر البيت، زيتونة تظللنا، لا تكسره ريح، أمي بيلسانة وسأبقى أنا شجرة البرتقال العطوبة"، هرعت إليه وضمّته طويلاً، ثم نظرت إلى عينيه مترددة لتسأله:

هل تهديني بونزاي من صنف البرتقال؟

أمضى أسبوعاً يدور ولا يحصل سوى على أجوبة من نوع أن بونزاي البرتقال نادر الوجود أو أنه يصعب تربية الليمون في الأوعية، حتى عثر لها على شجرة قزمة مكتوب على بطاقتها "برتقال مرّ"، هزيلة تحمل ثلاث ثمار صغيرة خضراء وتنحني في اتجاه واحد كفتاة طويلة العنق ترخي شعرها المبلل جانباً كي تسرّحه. عاد بها إليها فرحاً وصار يساعدها في التمارين، يبعدان أثاث الاستديو نحو الجدران، يصنعان فراغاً واسعاً في الوسط، فيمسكها من خصرها وهي تدور على نفسها واقفة على رؤوس أصابعها، يحملها، يرفعها في الهواء ويرميها لتحسن السقوط على رجلَيها المنهكتين، يقف إلى جانبها، يرفع رجلها إلى أعلى ما يمكن، فيبقيان واقفَين هكذا لدقائق طويلة.

أعطته مفتاح شقّتها، يأتي وحده في غيابها، يرتّب المكان، يحمل إلى شقته أحذيتها الوردية والبيضاء المهملة، تكدست عنده فساتين الرقص الصغيرة الملوّنة، وربما اكتسب في هذه الفترة تلك المشية المتراقصة التي

بات يمكن ملاحظتها عليه.

قرع الجرس في طابقها الرابع صبيحة يوم مشمس فلم يلقَ جواباً، استخدم مفتاحه ودخل، فوجد رسالتها ملصقة على زجاج النافذة:

أنا مجنونة مثل أمّي، ألحقتني بمعهد للرقص الكلاسيكي في بلغراد وأنا في الخامسة من العمر لدى مدرّبة ساديّة، لتصنع مني ما عجزَت عن فعله هي، ثم تركت والدي من دون إنذار واختفت مع لاعب سيرك، فانزوى والدي في البيت وانطفأ من شجنه من دون أن ننجح أنا وشقيقتي في الترويح عنه. اكتشفت قبل أيام أنني حامل ولم أخبرك. قررت فوراً الاحتفاظ بالجنين، انتهت حياتي هنا في باريس، لا رقص للحوامل ولا للأمهات، لا أدري لماذا اخترتك، أحطّم قلبي وقلبك وأرحل. لا تبحث عني ولا تلحق بي، لأني أعرفك قادراً على ذلك، ولا تسأل صديقك الشرطيّ فهو لن يجدني هذه المرة، لأني خارجة من بلاده. سأبقى أرقص وحدي لنفسي في غرفتي أو على شرفة مطلّة على نهر الدانوب حيث يلتقي مع نهر السافا. خذ ما تريده من أشيائي، اعتنِ بأشجاري الصغيرة، حملتُ معي فقط شجرة البرتقال كي تذكّرني بك كل يوم...

ملاحظة: لم أبلغ مالك الاستديو بأني راحلة، سيكتشف ذلك بنفسه.

لم يصدّق، لم يقبل، ستعود. إنها تمازحه، تمتحنه. لم تأخذ سوى القليل من ثيابها وبعض الأسطوانات المدمجة، الكتب كلّها لا تزال واقفة على الرفوف. لم تظهر عليها أي علامات، فقط مشاكلها العائلية على الهاتف. لم يرضخ، صار يأتي إلى الاستديو، يقفل على نفسه، يتذكّر بعض خطوات الرقص، يشرع في تقليدها ثم يسقي الأشجار وينتظرها. ينتظر الهاتف حتى يرنّ، وكلما رنّ يرتعد تأثّراً. إحدى رفيقات محترف الباليه تطمئن عليها بعد تخلّفها عن التمارين. إدارة المسرح تكتشف غيابها. موظف في البنك يعرض عليها خدمة مصرفية جديدة. تركت أمورها كما هي ومشت. ستعود. كلّمتها سيدة من بلغراد. للوهلة الأولى عندما سمع الصوت اعتقد أنها هي، فار دمه، إذ تبيّن أن المتحدّثة لا تتقن الفرنسية. بقي مصرّاً على الاعتقاد أنها تداعبه، لكنه اضطر في نهاية الأمر إلى الإعلان بنفسه وببعض العبارات الإنكليزية البسيطة أن فاليريا ليست هنا، لكنه أنس بها ورجّح أن تكون شقيقتها. استمر في دفع إيجار الشقّة عنها، كانت كلّفته بذلك من ضمن ما لا يحصى من خدماته الصغيرة واليومية لها.

تكاثر غيابه عن الوظيفة في الشركة السعودية. ثابر على طقوس صديقته كأنها ما زالت في الجوار تتجسّس عليه وتمتحن تعلّقه بها وأنها ستظهر في أي لحظة. حمل ثياب نومه وكحوله واستوطن شقتها. استمع إلى كل ما تركته وراءها من أسطوانات وتأمل كل ما بقي في خزانتها من ثياب وجوارب وأحذية. استعاض عنها بأشيائها، قاوم، صمد، أجّل، حتى تعرّض للخيانة من جسمه. نام ليلة في شقّتها فعجز عن النهوض في الصباح، تتملكه رغبة في النوم إلى ما لا نهاية. ولمّا نجح في الجلوس

٨٦

على طرف السرير كانت يداه مخدّرتين وشفتاه ترتجفان من دون توقّف. حارب طوال أربع وعشرين ساعة وحده، لم يهاتف أحداً، يجرّ جسمه إلى الحمّام وإلى شرب الماء. انتابته في الليلة التالية رغبة لا تتوقف في الاستفراغ، فاتصل بالإسعاف وأدخل المستشفى.

صودف ذلك مع وجود صهره في باريس لتوقيع عقد بناء فندق فخم في جدّة. عاده فخاف من هزاله وشحوبه ومن قول الطبيب إنه ضعيف المناعة، ما جعله موقناً بأن شقيق زوجته مصاب بمرض عضال. لكن عبد الكريم خرج من مستشفى "السالبيتريير" يوم قال الطبيب إنه ما من حاجة إلى بقائه، فاستعاد بعض أطراف حياته وقد تملّكه من جديد الشعور الأسود بالفراغ والمنفى.

انتقل القلق عليه إلى السعودية حيث بدا صهره محبطاً من لقائه به، ناصحاً بعودته إلى بلده. فاقترحت الأم صرفه من وظيفته وقطع المال عنه، والإخراج أن تكتب له شقيقته رسالة أولى تحثّه فيها على العودة، وعندما يسألها عن السبب تدّعي أنهم يمرّون في مرحلة مالية صعبة. ختمت مراسلتها معه بمديح على لسان والدتها:

أنت رجل آل العزام الوحيد وعليك إعادة فتح البيت!

حاول من دون اقتناع الاتكال على نفسه لكسب معيشته، فاكتشف أنه لن يتقن عملاً مفيداً، ولما توقفت التحويلات المالية وتلقّى إنذاراً بأن إيجار شقته لم يُسدد منذ ثلاثة أشهر، أدرك أن ما كتب قد كتب وأن حياته بعد فاليريا لم تعد تساوي الكثير، كالداخل في نفق من الأسى لا ضوء في آخره. نصحه برتران الذي كان يخطط لتمضية أسابيع في الصومال حيث سيصوّر فيها فقط النساء بأثوابهن الملوّنة ووجوههن

السمراء الجميلة يحملن الأطفال ويمشين، والوحيد الذي يعرف سبب سقمه، بأن بعض الأمراض قد تشفى بتغيير المناخ. فنظّم عبد الكريم عشاءً في شقته ثمل فيه المدعوون من الأصدقاء وأشباه الأصدقاء الذين سنحت له أوقاته القليلة في باريس من دون فاليريا بالتعرّف عليهم، وغنّوا وهم جالسون أرضاً بعد أن باع عبد الكريم عبر إعلان في صحيفة مترو الأنفاق أرائك الشسترفيلد السوداء الثمينة، وبعد أن بقي لأيام يختار ما لا يريد التخلي عنه من أغراض فاليريا وينقلها إلى شقته. عند الفجر، ودّع مدعوّيه للعشاء الأخير بعناق طويل زادت الخمرة من مظاهر المبالغة فيه. عانقوه وحذّروه من أنه إن لم يعد إليهم بسرعة فهم مسافرون إليه هناك لدهمه في مدينته المملوكية كما اعتاد تسميتها وسرد أخبارها على مسامعهم.

طار عبد الكريم في اليوم التالي حاملاً معه أربع حقائب كبيرة إضافة إلى حقائب اليد، دفع عليها غرامة عالية بسبب زيادة الوزن، بعد نقاش طويل مع الموظفة في المطار. تأكد من الملصقات التي تحمل اسمه، ووضع نظارته الشمسية وأضاع ساعة أخيرة من الزمن في محال "فرجين" في المنطقة الحرّة أمام جناح أفلام الأوبرا والباليه. فضّل قرصاً مهدّئاً على تجرّع الويسكي الأسود، رفض وجبة الطعام ونام طوال الرحلة إلى بيروت. عند الهبوط، أكمل نومه في سيارة التاكسي التي قادته شمالاً. وصل مع المساء، لم يكن في حاجة إلى مساعدة، شقيقته أرسلت له بالبريد من السعودية إلى باريس نسخاً عن مفاتيح بيت العائلة جميعها.

كان الربيع في بدايته. فور ترجّله من التاكسي في العاشرة ليلاً، وبعد أن ساعده السائق على وضع حقائبه وسط الصالون وانصرف، خرج

إلى مدخل البيت متفقّداً. وقف عند الدرج، ردّ رأسه إلى الوراء، أغمض عينَيه عميقاً وانتظر أن تطلع عليه الرائحة من جهة البحر. استعاد بحركته المبالغ فيها هذه لحظة من طفولته، هنا، قبل ثلاثين عاماً، عندما كان موقناً بأن أباه وأمه لن يموتا أبداً وأن بيتهم هنا وسط البساتين سيكون منزله الأول والأخير، يستعيد مشهداً يكون فيه الوقت ليلاً، وفي شهر نيسان كذلك. ليل غير هذا الليل، بهيم كما في فروض الإنشاء، عتمته تعجّ بالأخطار، بأصوات مناداة بعيدة، شخير، عواء، صفير متقطّع طالع من البساتين العبيّة على مدّ النظر. ينسبان هو وأخته الأصوات سرّاً إلى حيوانات مفترسة، يقتربان من والدهما الجالس على الأرجوحة، يتنافسان على حضنه غنجاً وخوفاً، يهمس لهما وسبابته على فمه أن اسكتا لأن الكلام قد يلهيهما. شُمّا، يقول، فيغمضان عيونهما ويتنشقان رائحة زهر الليمون التي تغمر عتمة الليل كل بداية ربيع. تمرّ دقائق وهما مختبئان في أبيهما، صامتين، ينعسان في دفء جسمه الكبير، لا ينتبهان إلى أمهما الواقفة خلفهم تتابع الطقس، تشارك معهم ثم تدعوهما إلى الدخول تحسباً لاستيقاظ الغد المبكر إلى المدرسة. يتمهّلان فيخبرهما كيف، عندما يكون الهواء مؤاتياً، يُغرق سوق المدينة القديمة بعطر الليمون، يصل إلى هناك، إلى بيتهم القديم. روى عبد الكريم ذلك كله لفاليريا وبرتران والآخرين، أضاف من عنده لإبهار مستمعيه أن العطر يصل إلى التكيّة المولوية في أعالي النهر، يسكر منه الدراويش الدوّارون، فتتعالى مناجاتهم نحو السماء ويخرج الناس في الجوار إلى عتبات بيوتهم يسبّحون الله.

حاول التحقق ممّا تركه هنا، وسط ليل تخدشه مصابيح الإنارة فوق

أعمدة مخلّعة، ليل مسكون بأصوات أليفة مطمئنة، فأطال الوقوف في الخارج. بدا منظره مضحكاً، واقفاً، ثابتاً، يرفع أنفه إلى الأعلى فلا يصله من الروائح المبعثرة سوى مازوت السيارات العمومية العابرة، ومن الأصوات غير هدير مولّد الكهرباء في البناية المجاورة، وإذا أنصت جيداً يسمع صوت زيز ليل من بقايا بساتين الليمون لا يزال تائهاً وسط الأبنية المتكاثرة.

أمضى الليل منبطحاً بالعرض على سريره، بثيابه وحذائه، رجلاه تتجاوزان حافة السرير، كما كان يفعل في نوبات حرده زمان المراهقة. استفاق متأخراً فانقلب على ظهره واضعاً يديه تحت رأسه، مستلقياً في عتمة غرفته لا يعرف من أين يبدأ ولماذا يبدأ. لم يغيّر ثيابه ولم يستحمّ ليطيل بقاء جسمه برائحة حياته هناك. اكتفى بالنور الضئيل المتسرّب من الخارج، وبلوحين من الشوكولا الأسود المرّ حملهما معه من المطار تحسّباً، ثم أمضى نهاره متجمّعاً على نفسه، يؤجّل نزوله ويحاول النوم من جديد ليستيقظ في الصباح على صفق باب وأصوات ارتطام صادرة من جهة المطبخ. إنها انتصار ابنة أم محمود. وقف بسرعة، هزّ رأسه كالعصفور الذي ينفض ريشه إذا خرج من تحت الماء، وصرخ من بعيد بصوت مخيف، كأنه بحاجة ماسة إلى الهواء:

افتحي النوافذ...

ولما سمعها تفتح شباكاً في الصالون صرخ من جديد:

جميع النوافذ!

تذكّر فجأة أن أشجار البونزاي ستموت في عتمة الحقائب.

صارت انتصار امرأة. وامرأة جميلة. انتصار الفتاة التي كانت لا

تجيب إذا وجّه إليها أحد أفراد آل العزام الكلام وهي جالسة النهار بطوله في المطبخ، وقد تبيّن أن أمها أوصتها بألاّ تفتح فاهاً خشية أن يفلت منها كلام نابٍ، انتصار التي أطعمته تفاحتها المغمّسة بالسكر الأحمر وكانت تلاحق مع رفيقاتها العجوز الذي يزيّن ثيابه بأزهار المواسم عند عودته من جولته في المدينة، وينتظرنه كي يتبوّل في إحدى الزوايا على مرأى من الجميع فيرمينه بالحجارة ويهربن، انتصار التي كوَت أمها يدها لعجزها عن كيّ لسانها كي تُقلع عن السباب، ها هي امرأة تتعهد البيت كأنها ولدت فيه.

لامسته من دون قصد وهي تساعده في تحرير الأشجار، نظر بحدة في عينيها، ارتاح إلى احتمال وجودها معه كل يوم. أخرج المقصّات والأدوية من الحقيبة. تفحّص طرفاً مكسوراً وأوراقاً مكرمشة ثم وضعها حيث تصلها أشعة الشمس. صفّها بعناية وفق الترتيب الذي اختارته لها فاليريا في شقّتها. ليلك الهند أولاً، شجرة الشاي ثم القيقب وإلى أقصى اليسار الزعرور البريّ. أخرج ثيابه وكتبه وغنائمه الباريسية من حقائبها، عادت انتصار إلى حي الأميركان، عاوده احتمال أن تكون فاليريا حاملاً بطفله فغاب في توقع احتمالات وصال جديد معها ثم وضع تنانيرها الوردية والزرقاء والبيضاء ومشدّات جسمها، وأدوات التبرّج، والأنابيب والفراشي الصغيرة، شعر مستعار، ملاقط جفونها وأحذيتها المتنوعة وشرائطها وجواربها اللاصقة وسراويلها الداخلية الصغيرة وحمّالات صدرها وربطات شعرها وتيجانها المذهّبة ومعطف المطر الأسود الذي رآها فيه للمرة الأولى، صورها بعدسة صديقه برتران وروائحها بعد التمرين وقبل الاستعراض وفوق سرير الغرام، وضعها

جميعها في خزانة ثياب غرفة النوم المجاورة لغرفته وأقفل عليها.

خرج بعد يومين إلى المدينة، سلك طريق حافلة التلامذة في الصباحات الماطرة وهو يتفادى السيارات المسرعة بمشيته الخفيفة وحذائه الزاحف. توغّل في الشوارع الضيقة، لفحته الوجوه المتجعدة على الأرصفة وضوضاء لا تنقطع يصعب تمييز عناصرها. لحقت به أرجل صغيرة حافية، قبيلة من البدو بنسائها تحاصر العابرين حول برج الساعة العثماني، امتدت إليه، تمسكت بأكمامه أياد سمراء، كرمى لله. شاب نحيل يحمل كيساً ويضع أنفاً أخضر فاقعاً ونظارة خضراء بلاستيكية ويُصدر من يديه زقزقات عصافير متواصلة. يبيع الأنوف والنظّارات والزقزقات. عيناه حزينتان خلف قناعه المضحك، مسرعاً مستقيماً، يزقزق تائهاً وأنفه البلاستيكي الأخضر في الهواء والباقي ربما سيحدث تلقائياً، لو صادف ولداً سيبكي الصغير لأمه كي تشتري منه، كي يقلّده، لكنه يجري، يبتعد ولا أطفال في الشوارع يستوقفونه. شوارع كأن غباراً رمادياً هطل فيها على كل شيء فلم تسلم منه سوى بقع زرقاء أو حمراء داكنة ومبعثرة في واجهات المباني والنوافذ الخشبية المخلّعة. وقف وسط متاهة المتاجر التي قامت مكان مدرسة الرهبان المسيحيين حيث أمضى نصف عمره، حدد موقع المكتبة التي ربما يكون قد قرأ في النهاية جميع كتبها، فوق مخزن لبيع الألبسة الشرعية تقف في بابه فتاة سافرة، زال محل بيع أسلحة الصيد وواجهة بنادقه الجديدة، وبقي حلّاق الرجال الملقّب ريكو، جار المدرسة. تقصّد المرور بجانبه فرآه جالساً في كرسيّه الدوّار، كرسي الجلد الأحمر نفسه، يردّ رأسه إلى الوراء وينام قبل الظهر في ندرة الزبائن، فاغراً فمه وقد تساقط نصف أسنانه الأمامية. يلمسه بجسمه من

الخلف رجل سمين تنوء تحته دراجته النارية الصغيرة، يحتال للمرور في زحمة السيارات العتيقة وقد حزّم خلفه صندوقاً مفتوحاً مكوّماً فيه ما يشبه الهرة الميتة. براميل النفايات تفيض، تختلط روائحها برائحة النهر وبرائحة التنباك المعطّر من نراجيل ينفخ فيها شبّان مفتولو العضلات يجلسون على حافة الرصيف، يرتدي أحدهم، الموشوم الكتف، قميصاً طُبع عليه "أحب لوس أنجلس لايكرز"، يتابعونه بنظراتهم ويتغامزون على قوامه الرشيق. امرأة تحمل طفلاً هزيلاً مريضاً مغمض العينين، خرقة تستصرخ به المارة، تلوّح به في وجه عبد الكريم. بائع يفرش غابة من البضائع المستعملة، يسمّي نفسه أبو الفقراء، يقف على صندوق خشبي، يرفع حذاءً بقبضته، قميصاً يستخرجه من كومة ثياب يرميه في الهواء، يدلل على أسعاره البخسة بمكبّر الصوت يحمله بيده الثانية فيخرج صوته مجرحاً.

عاد عبد الكريم ساقط الكتفين كطائر مصاب ليواجه في اليوم التالي ابن عمّه رياض الوريث السياسي للعائلة. حضر لزيارته من دون موعد، قبّله طويلاً، فأصيب عبد الكريم بدوار خفيف جراء عطره الفاقع ولزوجة تنبعث منه. لا أعرف رقم هاتفك قال، ليس لدي هاتف محمول، أجاب عبد الكريم، فمطّ ابن عمه شفتَيه تعجّباً. رافقته سيارة مواكَبة داكنة الزجاج وحارسان مسلّحان بمسدسات ظاهرة يبالغان في التلفّت وهو يبالغ في إرسالهما لإنجاز مهمات تافهة. ترحّم رياض على عمّه عبد الله وارتمى في كرسيّه البرجير من دون استئذان وهو يقول "كان يجلس هنا". سأل عبد الكريم عن غيبته فلم يعرف هذا الأخير بماذا يجيبه، متلعثماً بكلمات متفرقة. حاول قريبه إحياء مزاح يتواطآن فيه، أخبار

صغيرة من الماضي، ذكّره بافتتانه بالشقيقتين الفرنسيتين وكيف كان يرسل إليهما أشعاراً على قصاصات ورق، لكن عبد الكريم بدا ناسياً يبتسم بعصبية. كأنه رجل جديد لم يكن لدى ابن عمّه الحشرية الكافية لاكتشافه، فانتقل إلى هجوم من طرف واحد ليكمل زيارته بأحاديث لا ينتظر من عبد الكريم رداً عليها. يضع رجلاً فوق رجل ويحرّك قدمه من دون توقف وهو ينظر إلى حذائه اللمّاع وجواربه من الحرير الأسود. كان عبد الكريم قبالته متوتراً تشتد عليه رقّة العينين وانقباضات عضلات الرقبة، يمسك وجهه بين يديه وهو يستمع إلى شكوى ابن عمّه المتدفقة. المدينة ميتة، تستيقظ متأخرة وتتحول إلى مدينة أشباح بعد الثامنة ليلاً، حاربت الانتداب الفرنسي وتضامنت وتظاهرت مع كل قضية عربية، مع ثورة الجزائر، وضد حلف بغداد، خرج أهلها عن بكرة أبيهم إلى الشوارع يوم استقال جمال عبد الناصر وقاد رجل من عندهم جيش الإنقاذ الفلسطيني عام ١٩٤٨ فأمست اليوم لا تحرك ساكناً، يشتري الأغنياء أصوات أهلها في الانتخابات، أغنياء تحوم الشبهات حول طريقة تجميعهم الثروات. ينادي عبد الكريم انتصار ويطلب منها أن تُعدّ القهوة عساه يكسر اندفاعة ابن عمّه الذي رمقها بنظرة طويلة متفحصة لقوامها المشدود، ثم تحوّل فجأة من السياسة إلى نعي صالات السينما التي أقفلت واحدة تلو الأخرى، يعدّها، المتروبول، الكولورادو، الرومانس، الروكسي، يتبارى مع نفسه في معرفة الأقدم منها. كظم عبد الكريم عصبيته وخاف من نفسه أن يرميه بكلام قاس، فصار ينتقل من كنبة إلى أخرى تخفيفاً لمعاناته وابن عمه يتابع أن من يريد السهر أو مجرد دعوة أصدقاء للعشاء عليه أن يخرج إلى إحدى البلدات المسيحية، ومن

طمع في بذلة أنيقة اضطر إلى النزول إلى العاصمة، مدارس الإرساليات هجرت المدينة وتضاءل عدد المسيحيين، كانوا يحملون الأيقونات ويقومون بزياحاتهم في الشوارع فيقف التجار في أبواب محالهم احتراماً. سيطر المتطرفون على المساجد وطردوا منها الخطباء الذين يحجمون عن الدعوة إلى الجهاد كيفما اتفق، ينقّبون نساءهم بالأسود، يكفّرون ويحرّمون، هددوا المزينين النسائيين ومنعوا الأطباء الرجال من معاينة النساء، يوبّخون من يكسر الصيام علانية ويطاردون شاربي الكحول على حواجز أقاموها عند مداخل المدينة، يُنزلون من يشكّون فيهم بعد شمّ رائحتهم، يكدسون المال في حساباتهم الشخصية ويمدّون بالسلاح زمرة من المرافقين ويرسلون الشبّان إلى القتال في جبهات لا يعودون منها.

وقف عبد الكريم علّه يحمله بذلك على المغادرة فظل جالساً يندب المدينة مطوّلاً، كأنه يبخّس قيمتها تعويضاً لعبد الكريم عن الوجاهة التي حُرم منها، لكنه لم يتوقف إلاّ بعد أن رنّ هاتفه تذكيراً بموعد ضروري فاستأذن مطمئناً إلى أن ابن عمّه ليس مؤهلاً البتة لمنافسته. فور خروجه الصاخب وسط انفعال مرافقَيه، نظّف عبد الكريم الهواء وراءه بصوت العاشقة اليائسة مونسيرا كاباليه في "لا ترافياتا" والذي بقي يلعلع حتى الغروب. ارتعدت منه انتصار محسن خوفاً عند انطلاقته العالية فصارت توقن كلما ارتفع هذا الصوت في أرجاء البيت أن مزاج عبد الكريم بك العزّام يميل إلى السواد.

وصار إدمانه الأصوات النسائية الصادحة في البيت وجلوسه لترميم أشجار البونزاي من آثار رحلة الطائرة علاجاً يومياً يشعر بأنه يعيد وصله

بسنوات نعيم هوى وقد يستيقظ فجأة. فلقد بقي له خيط رفيع، أن يرنّ الهاتف يوماً ويسمع صوت فاليريا يأتي عميقاً، تستنجد به من حيث هي، تسمعه ثغاء مولودهما الجديد فيبيع بيت العائلة القديم ويهرع إليها. ألم يعطها رقم هاتف البيت هنا يوم حضر إلى جنازة والده وأصرّت على تدوينه بغية الاطمئنان عليه خلال رحلته القصيرة، لكنها لم تفعل؟ لم تفعل لتؤكد شكوكه مرة أخرى في أنه ما إن يغِب عن ناظريها حتى تذهب إلى عالم آخر، العالم نفسه الذي يشعر به في الطرف الآخر من الهاتف عندما كانت تتجهّم وهي تحكي بلغتها المتوترة مع أفراد من عائلتها، وهو العالم الذي ابتلعها في النهاية. أمكنة عبد الكريم منفيّ منها كما كان دائماً منفيّاً من حيث يعيش من يحبهم.

أنزل سجادة البخارى النبيذية الثمينة وعلّق صورتها مكانها في الصالون، الصورة الكبيرة من صنع برتران، بالأبيض والأسود، واقفة فيها على رؤوس أصابعها وساندة رأسها وشريط شعرها إلى ذراعها المرفوعة إلى الأعلى فيبدو جسمها النحيل المائل والناصع البياض المغطّى بقميص مشدود على الصدر ومنقّط بالأسود وبالتوتو الشفّاف كأنه يرسم في الفراغ حرفاً من حروف الأبجدية أو نوتة موسيقية عملاقة. حزمة ضوء على الخلفية السوداء الحالكة حيث يمكن المتبحّر أن يميّز فقط رفّاً من الراقصات الصغيرات يتمايلن في غباشة بعيدة. وضعها قبالة الكرسي الذي يجلس عليه كل يوم بحيث تطالعه عيناها الحزينتان ما إن يرفع رأسه باتجاهها، تبقى في مرمى نظره فتهدأ قليلاً خيالاته المتراقصة وآلام فراقه.

لم تسأله انتصار عن صاحبة الصورة، ومن غيرتها المكتومة وجدتها

بالرغم من سحر عينيها هزيلة، خسعة لا تليق بعبد الكريم. وضعتها في لائحة غرائبه التي بدأت تطول، وحاولت أن تخفف عنه وطأة الزيارات المتكاثرة فجأة إلى البيت، إذ يبدو أن خبر عودة ابن عبدالله العزام سرى خفية في أوساط المحتاجين ممن لا تحبطهم المحاولة ولو قيل لهم إن ساكن البيت لا يتعاطى الشؤون العامة. دخلت المدينة عليه، فجاءت إليه امرأة متقدمة في السنّ بليغة في الكلام أخبرته أنها بدّلت أربع سيارات أجرة كي تصل إليه من قريتها البعيدة، تقصده كما كانت تتردد على والده و لم يكن يخيّب لها طلباً. طلبت كوب ماء جاءتها به انتصار من دون اقتناع ثم أخرجت العجوز وصفة طبيب مغلّفة بالبلاستيك لفرط ما تتداولها الأيدي تؤكد إصابتها بمرض مزمن لا تملك ثمن علاجه. أعطاها مالاً فتبعها بعد الظهر رجل يرتدي بدلة رثّة مخططة وربطة عنق، لم يعرّف عن نفسه، هنّأ عبد الكريم بعودته سالماً من السفر، صمَت طويلاً، أخذ في يده محرمة ورقية، بعد قليل أجهش بالبكاء وراح يروي من دون توقف وهو يشهق قصة بدت كأن لا رأس لها ولا ذنب. اشتكى في أولها من شيخ طريقة، المال فوقه وتحته، يعرف سلطان بروناي وتوقع له يوماً أن البحر سيطلع على اليابسة وهكذا صار، فسخا عليه السلطان بالكثير، ونحن أناس فقراء، يقول الرجل فجأة، فرجّح عبد الكريم أنه ضعيف العقل غريب الأطوار، إذ انتقل إلى من سمّاه يونس الألماني، رجل أشقر طويل، عيناه زرقاوان، يعرف العربية جيداً، اعتنق الإسلام، يهيم في الجبال حاملاً عصا طويلة، لا أحد يعرف من أين خرج. ما لنا نحن وهؤلاء القوم؟ الرجل يبعثر كلامه وانتصار تطلّ من المطبخ بحيث يراها عبد الكريم وحده من حيث هو جالس على أريكة والده وهي ترفع

حاجبيها باتجاهه للقول إن الرجل كذّاب، تعرفه، وإن عليه ألاّ ينخدع به. يثيره هذا التواطؤ مع انتصار والرجل يكمل أن الألماني وشيخ الطريقة أقنعا الشبان بتسلّق الجبال هرباً لأن البحر سيطلع على المدن وستختفي جزيرة قبرص، فتركوا أشغالهم وأهلهم وحملوا معهم خيَماً وأكلاً، أقاموا في البرد القارس في الجبال، مارسوا تدريبات رياضية وصلاة وإرشاداً، ثم ذات يوم جاءهم السلاح. كانوا في الطوفان الذي سيغمر الجبال فصاروا في القتال، ثم وصل إليهم رسول أمرهم بالتحرك ليلة رأس السنة، آخر ليلة من العام ألفَين، الدنيا تؤلّف ولا تؤلّفان، قال لهم الرسول، ويونس الألماني يهزّ رأسه موافقاً. لفّوا رؤوسهم ووجوههم بالكوفيات، علّقوا المصاحف في رقابهم وانطلقوا نزولاً، اشتبكوا مع الجيش، طاردتهم الطوافات والكلاب البوليسية، تفرقوا فقتل من قتل واعتقل من اعتقل. بكى الرجل من جديد وهو يقسم أن ابنه الثاني بريء لكن حُكم عليه بالسجن لمدة سنتين. ابني الأول كان معهم، صحيح، لا أنكر، هذه هي صورته، أخرج محفظة جلدية متآكلة وراح يسحب الأوراق والبطاقات منها حتى وصل إلى صورة مراهق ينظر إلى العدسة بعينين ملتهبتين. هذا مات، أصابه الرصاص في قلبه، أصيبت أمّه بالسرطان بعد موته، سافر الشيخ واختفى الألماني كما ظهر، وابني الثاني أنهى محكوميته و لم يبقَ عليه سوى دفع الغرامة المالية. تمخّط عالياً وأقسم أنه لا يملك فلساً لتأمين إطلاق سراح ابنه، وأن ليس له معين بعد الله سوى هذا البيت. الحكاية تساوي ثمنها البخس، لكن ما تلاها من زيارات كان هزلياً ومستعصياً، مثل رغبة عائلة من عرب السهل الحصول على الجنسية التي لم يطالب بها الأهل والأجداد فصُنّفوا "مكتومي القيد"

وليس لهم من يستجيرون به في هذه القضية التي بدأت عام ١٩٣٢، أو من يطالب بنقل شقيق له إلى مركز في جوار مسقط رأسه بعد أن خدم في الجيش عامين في أقصى الجنوب على الحدود مع إسرائيل.

ضاق به البيت نهاراً فذهب إلى خالته. واحته على الدوام، منذ الصغر. الغنج والهدايا من أهل أمه. عانقته وأبقته على الغداء، ثم أعدّت القهوة ودعته إلى الشرفة حيث جلسا على الأرجوحة يتأملان من الطابق العاشر أراضي جرداء تصل إلى البحر البعيد.

لم تبقَ شجرة واحدة...!

قال عبد الكريم وهو يسرح بنظره في نصف استدارة من الشمال إلى الجنوب باحثاً عن الزنّار الأخضر الغامق الذي كان يحضن المدينة كالأم من جهاتها الثلاث.

اقتلعوا كل شيء في أقل من أسبوع، أطلقوا الجرافات وباعوا الأشجار حطباً. البساتين المنبسطة المتعرجة التي تضيق أو تعرض، تتداخل مساحاتها، تجري على حدودها الأقنية وترسم حدودها سياجات، حوّلها مهندسو التنظيم المدني إلى ملكيات مربّعة أو مستطيلة مستقيمة تماماً، خططوا للطرقات وللمساحات المشتركة، تشاجروا حول معدلات البناء، لم يبالِ أحد بالليمون لأن الأراضي ارتفعت أسعارها. كان لكل بستان اسم ينادي عليه المخمّنون في مقهى العويني قبل صلاة الجمعة، يجلس الضمّانة مع نراجيلهم ويبدأ المزاد على البساتين بأسمائها ومفاتيحها توزّع على المشاركين كي يقدّروها ويعودوا إلى جلسة الجمعة التالية حيث يكتفون بهزّ رؤوسهم قبل أن يرسو المزاد على أحدهم فيُسجل اسمه في الدفتر. لكن قد يأتي النوّ، أو الملاّح فيهرّ

الليمون ويُفلس التجار والضامنون جميعاً. غدرة واحدة ومئة قطاف، والقطاف للنساء، يجلسن أرضاً، يمسحن النمش، يفرزن الثمار أبواباً ويأتي بعد ذلك اللف بالورق والتوضيب في الصناديق تنتظرها الطنابر تحملها إلى السوق، إلى القطارات أو إلى المراكب الراسية للتحميل، فيسمون البرتقال المسافر بحراً المراكبي.

تطربه خالته، تعرف الليمون، تعدّد أصنافه، تتغزّل به، تحفظ مواعيده. السكّري، الحلو أوّل الموسم، مطلع تشرين الثاني، قبل المطر، ويليه الأفندي الصغير ومنافسه الوافد حديثاً الكليمانتين، يُقشّر باليد فيترك على الأصابع نكهة لا تريد إزالتها، الأبو صرةّ شتويّ بامتياز، ينزل قرابة رأس السنة، تطعيم جديد لكنه نافس الأنواع القديمة كلّها، البلدي ويليه اليافاوي في أوائل آذار ومعه الماوردي الدمّي، ويتأخر البالنسي والخاتمة للختملي، أما الحامض فعلى مدار السنة. تحكي عن مربّى زهر الليمون من ورقة الزهرة البيضاء تقطف ورقة ورقة وتسحب بعد الخرجة بساعة، هذا مربى الزفير، أما ماء الزهر فأفضل أنواعه تأتي من البساتين غير المروية، وتشير خالته بيدها جنوباً إلى حيث لم تكن تصل أقنية النهر، كأن الأشجار لا تزال واقفة هناك. ولا تكتفي بل تنتقل من الليمون إلى العائلات، من لا يملك بستان ليمون في السقي، الغربي أو الشمالي، يكون جلَباً على المدينة، وافداً حديثاً، من جيل أو جيلين. لا تستثني من سردها أسماء العائلات واحدة واحدة، فيما عبد الكريم مستسلم لصوتها اللطيف، سوى عائلتَين أو ثلاث فقط معروف عنهم أنهم يملكون الزيتون أباً عن جدّ. تحكي كأن الدنيا مكانها، ثم تستدرك بأن الأحوال تغيّرت فيقف عبد الكريم لينصرف خشية أن تبدأ شكوى

يعرف تقريباً أنها ستشتمل على حسرة على المدرسة حيث تلقت دروسها وتسمي الراهبات بأسمائهن الإيطالية بعد كل تلك السنوات.

عاد إلى البيت فوجد شاباً لم يبلغ العشرين من عمره، طويل القامة أشعث الشعر، ملتصقاً بصورة فاليريا يمرر أصابعه على وجهها كأنه يمتحن نعومة ملمس خدّها. سحب يده بسرعة كمن ضُبط متحرّشاً في ما لا يخصّه ما إن سمع حركة صاحب البيت، لكنه استعاد توازنه بسرعة ونظر إلى عبد الكريم عيناً بعين لا يخفض نظراته السوداء المتفحّصة الحادة حتى أنقذت انتصار الموقف:

هذا ابني إسماعيل، جدّه مشى مع جدّك وهو يمشي معك.

هرّبته من حيّ الأميركان حتى ينساه رجال المخفر بعد تشويه صور المرشحين للانتخابات النيابية.

أخرج إسماعيل كرسياً يجلس عليه في الباب الخارجي المطلّ على الشارع وراح يتسلّى بمنظر السيارات والعابرين. طرد شاباً يحمل حقيبة جلدية اقترب من السور ليجد في ستار الأشجار فجوة ينظر منها إلى الداخل. ادّعى الشاب أنه محام ويعرف أناساً مستعدين لشراء هذا البيت، بطبقته الوحيدة ومرأبه السفلي في المنطقة المزروعة بأبنية سكنية يتجاوز واحدها عشر طبقات. حصن أخير يدفع فيه مقاولو البناء مبالغ طائلة.

تعود انتصار عند المغيب إلى حيّ الأميركان وتتركه وحده مع عبد الكريم. تبقى هادئاً وتنام هنا، أوصته وهي تشير إلى المقعد الذي أعدّته له في المطبخ. أمضى الأمسية الأولى صامتاً وعبد الكريم يشعر بوجوده حتى عندما لا يراه.

أم محمود كانت جزءاً من البيت، هي وحسن العويك، العائلة تتشاجر

في حضورها، يقولون على مسمعها كلاماً في أقاربهم لا يقولونه أمام الغرباء، تآمروا معها جميعهم، حتى هو، على زوجته العكرة المزاج. ثم ورثتها انتصار، سبعة وثلاثون عاماً، أربعة أولاد، زوج لم يرَ له وجهاً، وجسد ما زال ينادي. تشبه أمّها في صوتها وقوامها وانحناءتها عندما تمسح الأرض، وفي تلك الاستراحة القصيرة التي لا بدّ منها، جلوسها لدقائق مستسلمة، قبل أن تحزم أمرها وتمشي راجعة إلى بيتها. يتأمل وجهها في غفلة منها عندما تكون صامتة قاسية، عيناها سوداوان، شفتاها ممتلئتان، أنفها نحيف متطاول. يعتقد عبد الكريم أن صديقه المصور برتران لو رأى انتصار، لو أخبره عن طفولتها وزواجها وسكناها، سيقصدها إلى حارتها، يلتقطها جالسة وحيدة بأناقتها الطبيعية على الأدراج الطويلة الخالية صدفة من المارة أو ساندة ظهرها واقفة بطولها إلى جدار مبقع أجرب تضيئه بقسماتها المعبرة. لا يغفل عبد الكريم عن وجودها في البيت ما دامت تعمل قبالته في الصالون وحتى في المطبخ من حيث تصله الأصوات الأليفة.

أما ابنها إسماعيل فيعلن دائماً عن حضوره، يستكشف البيت كمن يجول في معرض للتحف، يتابع عبد الكريم بحشرية، يُصدر أصواتاً مفاجئة، كأنه يلتزم الصمت رغماً عنه، عملاً فقط بوصية أمه. لكنه لم يكبت نفسه إلى ما لا نهاية فأفلت منه السؤال بعد أيام، من دون مقدمات:

لماذا تقصّ جذور الشجرة؟

بدأ يراقب عبد الكريم منذ أخرج العدّة وانهمك بإحدى أشجار البونزاي. ابتسم وهو يجيبه:

كي لا تنمو!

ولماذا تشدّ أغصانها نزولاً؟

كي لا تكبر!

ثم توسّع في الاستفهام:

ما الفائدة من هذه الأشجار؟

تعلّمني الصبر.

فقط؟

والحكمة.

كلمتان لم تصيبا تماماً إدراك محدّثه الشاب الذي لم يتراجع:

ولماذا لا تريدها أن تكبر؟

ولماذا تريدها أنت أن تكبر؟

هكذا خلقها الله.

إذا كبرت تهرب إلى الخارج، لا يبقى لها مكان في البيت.

هذا عكس الطبيعة!

لا أحب الطبيعة!

إذا كان لديك ولد هل تمنعه أن يكبر؟

لذلك ليس لدي أولاد...

قالها وهو يتذكر فاليريا الحامل.

كان الليل قد تقدّم وعبد الكريم أكثر من كؤوس الويسكي فكرر لنفسه:

وجدتها، نعم وجدتها، لا أحب الطبيعة!

انتهت المسايفة سريعاً تلك الليلة على وعد من عبد الكريم بإهداء

إسماعيل واحدة من أشجار البونزاي، طلب منه اختيار واحدة فأشار الشاب بيده، من دون امتحان، إلى شجرة الزعرور البري المكسوة بالثمار الصغيرة، ربما لأنها الوحيدة التي تحمل ثماراً.

لكن الكلام انفتح بينهما. استأنفه عبد الكريم في اليوم التالي وفي الأيام اللاحقة. صار يتحرّش بإسماعيل، يسأله أين ينام وماذا يأكل وهل يقرأ كتباً وإن كان يقصد الجامع ليصلّي وهل لديه رفاق وهل يحلم بالسفر أو يستمع إلى الموسيقى، فأخبر عبد الكريم عن خاله الذي لم يترك مكاناً في الدنيا إلاّ زاره وعن البطاقات البريدية التي كان يأتيه بها من رحلاته الصيفية، البرج المائل أو حورية البحر البرونزية العارية، نصفها امرأة ونصفها سمكة. وصار الليل يتقدم وهما يتبادلان الكلام من كل صنف، إسماعيل يريد أن يعرف كيف وصلت الأشجار القزمة إلى عبد الكريم فأخبره عن فاليريا، المرة الأولى التي يحكي فيها لشخص آخر عنها.

أحببتها وأهديتها شجرة برتقال كتبت عليها اسمي وحملتها معها إلى مكان لا أعرفه.

أحبّتك هي؟

لا أعرف، لكني لن أحب غيرها في حياتي...

يسكت إسماعيل لدقائق احتراماً لصراحة فجّة لم يكن يتوقّعها من صاحب البيت، ثم يفلت الكلام من عقاله فيتباهى من دون مناسبة ومن دون سؤال أنه ورفاقه في حيّ الأمير كان أطلقوا المفرقعات يوم هجمات ١١ أيلول على نيويورك وواشنطن وكتبوا على الجدران شعارات تحيي الأبطال الذين قادوا الطائرات، بينما يصف عبد الكريم بالتفصيل المكان

الذي يعتقد أن صديقته الراقصة تقيم فيه الآن في ضواحي بلغراد، بيوت قديمة نظيفة، نوافذ زرقاء وأزهار الكاميليا، وينتقل عبد الكريم إلى سيرة الأم التائهة حبّاً ببهلوان السيرك تصلّي كيلا يسقط عن حبله الرفيع، وإلى الصرب الهاجسين دائماً بشرف العائلة وشرفة البيت المطلّة على ملتقى الدانوب والسافا.

رُفعت الكلفة بينهما بعيد منتصف الليل فتوقف عبد الكريم عن تخيلاته لبوخارست التي لم يرها مرة ليعرض على إسماعيل مشاركته الشراب، فيتردد هذا الأخير ثم يقبل ويأتي لنفسه بالكأس وقطع الثلج، يبدأ بجرعة كبيرة يغمض لها عينيه من قوتها ويروي كيف مزّق صور المرشحين للانتخابات وبينها صور ابن عمّ عبد الكريم وقام هو برمي الدهان عليها، طبع عليها "عنوان الأصالة رياض العزّام"، فيقهقه عبد الكريم فرحاً بفعلة إسماعيل ويتمنى لو يستطيع إخبار شقيقته بذلك. ثم يروي ابن انتصار كيف وسّع مع رفاقه نشاطهم ليلاً إلى الطرقات العامة، يبتلعون الحبوب المنشطة هو ورفاقه ويخرجون لتشويه لوحات الإعلانات التي تظهر فيها نساء باللباس الداخلي فقط، بينما يعود عبد الكريم إلى البرتقال فيقف بصعوبة ويلقي أشعاراً أو ما يعتقد أنها أشعار لا يلتقط منها إسماعيل سوى كلمات متفرقة بين الملح والأندلس والدم، قفلها عبد الكريم ببيت وحركة مسرحية من يديه نحو الأسفل إيذاناً بالانهيار: "وها هنا وقعت ريح عن الفرس!". تطلع الويسكي إلى رأس إسماعيل فيرفع صوته بدوره ليلحق بعبد الكريم وهو يتوعّد من يضطهد أبناء البلد الفقراء، فترتفع نبرتاهما ويختلط هذيانهما، لا يسمع أحدهما الآخر وعبد الكريم يمشي متعتَعاً حتى يقع أرضاً وينفجر بالبكاء. أوقفه

إسماعيل على رجليه وأدخله إلى غرفة النوم ليساعده في التمدد على السرير ووضع رأسه فوق المخدة. اعتقد بعد قليل أنه غفا فحاول النهوض عن السرير لينسحب إلى المطبخ، لكن عبد الكريم أمسكه فجأة من ذراعه طالباً منه البقاء. استند إسماعيل المصاب بالدوران إلى ظهر السرير فوضع عبد الكريم رأسه على صدره وتوقفا عن الكلام ليُسمع فقط تنفسهما المتوالي من جسمَيهما التعبَين. في ساعة متأخرة، طوّق عبد الكريم إسماعيل بذراعيه وهو غافٍ حتى طلع عليهما الصباح كأنهما متعانقَين. استيقظ إسماعيل، فكّ ذراعَي عبد الكريم من حول جسمه، وقف ليرش وجهه بالماء مرتين، نظر إلى نفسه طويلاً في المرآة، لن يتحمل النظر في عيني عبد الكريم عندما سيستيقظ بعد قليل. جمع أغراضه القليلة وفرّ من منزل آل العزام لا يلتفت وراءه.

- ٥ -

صباح يوم الأحد، وقبل التوافد المنتظر لعشرات خادمات المنازل وبعض الرجال العاملين في محطات الوقود والمتاجر الكبرى للتلاقي الأسبوعي والصلاة في المعبد الهندوسي القائم في الطبقة الأرضية من مبنى يقع على الطريق العام السريع على بعد كيلومترات قليلة من العاصمة، وصلت سيتارا باكراً لترتيب المكان وإعداد الكلمة التي تلقيها كل أحد إرشاداً للفتيات إلى حقوقهن المادية وكيفية التصرّف في حال تعرّضهن لسوء المعاملة. وعندما وصلت إلى اختيار العبارات التي ستلخص بها للحاضرين مقابلتها مع السفير السيريلانكي قبل يومين، رفعت رأسها عن الورقة فرأت من النافذة شاباً يرتدي ثوباً أزرق عليه بقع من الشحم يترجّل بسرعة لافتة من سيارة توصيل صغيرة مكتوب عليها بالألمانية اسم صحيفة *Die Welt*، يتلفّت بكثرة يميناً ويساراً ثم يضع علبة في سلّة المهملات الحديدية مقابل مدخل المعبد ليعود بالخفة نفسها إلى مقوده وينطلق شمالاً. ارتابت سيتارا في الأمر وهُرعت باتجاه الطريق العام وهي تلوّح بيديها، فرآها درّاج من فصيلة السير عابر في الاتجاه المعاكس منهياً خدمته وعائداً إلى البيت بعد ليلة سبت مضنية أمضاها مواكباً

الساهرين والسائقين السكارى، فصرخت ونادته وهي تشير خائفة إلى الفسحة مقابل المعبد، فاستدار الدرّاج عائداً إليها عند أول جسر تبديل، مستغلاً الدقائق الفاصلة للاتصال بأقرب دورية. وصل رجال الأمن الداخلي بعد دقائق، منعوا العاملات والعمال السيريلنكيين والهنود من الوصول إلى المعبد، وأنزلوا ساكني الطوابق العليا بسرعة من شققهم، كما أوقفوا حركة مرور السيارات على الطريق السريع في الاتجاهَين في انتظار وصول الخبير العسكري الذي اقترب من علبة النفايات، فتح الكيس ثم تراجع فجأة إلى الوراء وراح يعدو بدوره بكل قوة ملوّحاً للجميع بالتراجع قدر الإمكان، فالعبوة مربوطة بساعة توقيت ولا مجال لتعطيلها، إذ يمكن أن تنفجر في أي لحظة. وهذا ما حصل، فسمع دويّ كبير وتصاعد الغبار وشعلة نار حمراء وتحطم زجاج النوافذ وتساقطت قطع حديدية صغيرة على سطوح السيارات المتوقفة في الاتجاهين، وجرح عسكريون وحشريون بالشظايا. لم تكن سيتارا تعرف الكثير من العربية، لكنها نجحت في تحديد نوع السيارة بأن دلّت على مثيلة لها في الجوار وكذلك لونها وثياب سائقها، فاتصل الضابط بقيادته مطالباً بالقبض على من سمّاه "سائق سيارة رابيد بيضاء اللون عليها كتابة بالأجنبية...".
أوقف الجاني بسهولة على حاجز نُصب له على الطريق شمالاً، نُقل إلى مركز التحقيقات في قوى الأمن الداخلي حيث طمأنه المحقق إلى أنه لم يسبّب مقتل أحد، كأن أمه تصلّي له ويمكن أن ينجو بثلاث سنوات في السجن إذا اعترف. فأقرّ بأنه فعل ذلك انتقاماً للاضطهاد الذي يتعرض له المسلمون في الهند على أيدي "البوذيين" كما قال، فلم ينتبه المحقق أيضاً إلى أن المصلّى المستهدف هندوسي، بل سأل الشاب عن سبب إقدامه

على هذا العمل، فأسهب هذا الأخير في الكلام حول ضرورة التضامن مع المسلمين في العالم وختمه، بعد شعوره بأن المحقق مسلم، بآية من سورة البقرة: ﴿كُتِبَ عَلَيْكُمُ الْقِتَالُ وَهُوَ كُرْهٌ لَكُمْ وَعَسَى أَنْ تَكْرَهُوا شَيْئًا وَهُوَ خَيْرٌ لَكُمْ...﴾ فقاطعه المحقق بصفعة قوية على وجهه مطالباً إياه بالإفصاح عن أسماء شركائه.

شركاؤه في حيّ الأميركان يتستّرون بجمعية "الهداية الإسلامية". بدأوا بافتتاح مدرسة ومكتبة دينية صغيرة ثم دشّنوا مستوصفاً، ووزّعوا كراسي للمعوّقين، وحّدوا لباسهم عملاً بالحديث القائل إِزْرَةُ الْمُؤْمِنِ إلى عَضَلَةِ سَاقَيْهِ، وأخيراً وضعوا يدهم على جامع العطّار الذي طالما حرمهم منه الشيخ عبد اللطيف. بدأوا بمقاطعة خطبة هذا الشيخ وصاروا يعبرون أيام الجمعة إلى ضفة النهر الأخرى ليؤدّوا الصلاة في جامع التوحيد في سوق الصاغة. حربهم عليه لم تكن سهلة، فالناس يحبّونه، تسبقه دائماً ضحكته المجلجلة بعد نكتة مالحة يرويها، كثيرون ينحنون لتقبيل يده لكنه يسحبها ويربت بها الرؤوس والأكتاف. تقاعد من التعليم في المدارس ويمضي نهاره متنقلاً من باب دكان إلى باب دكان، لا يجلس أبداً رغم الدعوات، يتحسّر على العروبة، يردد عن ظهر قلب مقاطع طويلة من قصائد أحمد شوقي ومحمد مهدي الجواهري، ويسخر من زمن الأقزام الذي نعيشه، هامساً في أذن من يثق بهم أن أصحاب اللحى هؤلاء هم الانحطاط بعينه. يسأل الشبان الذين يتقدمون للتعرّف عليه عن أسماء آبائهم ويكرر القول إن الدخلاء على المدينة من القرى والأرياف تجاوز عددهم عدد أهلها الأصليين. لا يكنّ لهم ضغينة بل يرثي لفقرهم. يهمس في أذن هذا ويقهقه مع ذاك، يقصده المحتاجون خدمة لأنهم

يعرفونه صاحب حظوة عند النواب وأصحاب الشأن في المدينة، يدخل عليهم في أي وقت، لا يردّون له طلباً، لا يطلب لنفسه شيئاً.

بقي هنا في جامع الحيّ وظلّ يقصده يوم الجمعة من أنحاء مختلفة من اعتادوه، لا يفوّتون الصلاة وراءه ولا الاستماع إلى خطبته، فيمتلئ جامع العطّار برجال ما عادوا يشبهون حيّ الأميركان من زمان، أطباء، مهندسين، قضاة بربطات عنق وثياب ثمينة وحتى ضبّاط من أصحاب الرتب العالية يأتون ببزّاتهم الرسمية إذا سمحت لهم إجازاتهم، منهم من تتلمذوا على يده ومنهم من صادقوه وشبكوا أذرعهم بذراعه في الصفوف الأولى للتظاهرات الوطنية. رفع صوته ضد الاحتفال باعتداءات ١١ أيلول على برجَي التجارة العالمية في نيويورك، وانتقد في المقابل بأقسى الكلام الغزو الأميركي للعراق، لكن دعوات الشبان للقتال لم ترقه، فوقف يوماً في المحراب، شبك يداً بيد وقال من دون مناسبة: إن الجهاد الأكبر هو جهاد المرء ضد ذاته، جهاد النفس وإصلاحها، فسرت همهمة وسط جماعة "الهداية" وسأل واحد منهم، قيل إنه ياسين الشامي نفسه، عالياً وبكل وقاحة:

وأعداء الله والإسلام؟

فأجاب الشيخ عبد اللطيف بحدة أن ليس للإسلام أعداء أكثر ضرراً من بعض المسلمين، وكانت الإشارة إليهم واضحة، فانسحبوا من الصلاة ولم يعودوا إلاّ بعد أن كسر الشيخ عبد اللطيف وركه. زلّت به القدم وهو ينزل درج الحيّ في صباح ماطر عائداً من عند اللحّام وبيده الكستاليته التي أوصته عليها زوجته، فوقع وأجمع الأطباء على أنه لا مجال لعملية جراحية في سنّه، وعليه فقط التمدد في الفراش. انقطع

محبّوه عن الصلاة في جامع العطّار فور شيوع خبر سقوطه، توزّعوا على مساجد الأحياء الجديدة التي يتبرع بتشييدها أثرياء سافروا باكراً إلى إمارات النفط، تغيظهم خطبة هذا أو ذاك من مشايخ جدد لا يعرفون أصلهم أو فصلهم.

هكذا استولت "جمعية الهداية الإسلامية" على جامع العطّار، وعلى الفور رفع مشايخها عند مدخله يافطة قماش خُطّ عليها بالأحمر القاني "جامع الهداية"، فصار الجامع الذي بناه الأمير سيف الدين المملوكي في القرن الرابع عشر مكاناً لتجنيد الشبّان وإرسالهم في مهمات جهادية. في تلك الفترة بدأ إسماعيل يعمل في الفرن لدى صاحبه ياسين الشامي المكحّل العينين، أول رجل يراه إسماعيل يتكحّل مثل النساء، ولا يذكر سكّان حي الأميركان رجلاً تكحّل قبله سوى شيخ من مشايخ الطرق الصوفية استأجر شقة في الجوار وحاول تأسيس فرقة إنشاد توفي قبل أن يكتمل عقدها. لم يرشده ياسين في البداية، فقط يترك له بين الحين والآخر على منضدة الرخام عدداً من مجلة إسلامية تصله باليد من عصبة تعرّف إليها في سنوات غربته، ويكتفي إسماعيل بتقليب أوراقها من دون اكتراث. احتار الشامي من أين يبدأ معه. سأله عن التزامه فروض الدين فوجده رخواً، يغادر الفرن إلى طيش الشوارع. كاد ياسين يشك في حدسه تجاهه ويندم على تشغيله، إلى أن سأله إسماعيل مرة عن مجزرة باب الحديد. أبوك يعرف، أجابه، كان في مركز الجمعية في تلك الليلة، ربما لا يريد أن يخبرك.

بلى، أخبرني ودلّني.

حياة ياسين الشامي أيضاً بدأت هناك، لا شيء يستحق الذكر قبلها.

أخوه قتل فيها. نادوا عليه عند الفجر، فجر يوم مجزرة باب الحديد، للنزول من شقته في الطابق الثالث، تمسّكت به زوجته ووقف أولاده يسدّون الباب ليمنعوه من الخروج، لكنه كان مطمئناً لأنه لم يشارك في القتال، أقام طول عمره في الحي، كان يحبّ الشيخ عماد لكنه لم يحمل السلاح إلى جانبه و لم يذهب مرة لزيارة مكتبه، فنزل وخرجت زوجته وأولاده إلى الشرفة ليروا بأعينهم من فوق كيف أطلق عليه ضابط المخابرات بيده النار ما إن ظهر في مدخل البناية مستسلماً.

وأنت؟

اعتقلوني فقط لأنهم قتلوا أخي.

يسكت عند دخول زبون متأخّر فتزيد حشرية إسماعيل. وفي اليوم التالي قبل موعد الإغلاق، يستغل ياسين تضاؤل عدد الداخلين إلى الفرن بعد الظهر ليعدّ الغلّة ويرتّبها ثم يجلس وهو يشد يديه على خصره، يطلب من إسماعيل أن يذكّره أين وصل بقصته.

عصبوا عينَي و لم يطلبوا مني شيئاً، مدّدوني على بطني فوق لوح خشبي يطوى من نصفه ثم راحوا يرفعونني بجنازير لينغلق اللوح عليّ، طقّت فقرتان في ظهري قبل أن أصرخ وقبل أن يحققوا معي، فاشتهيت الموت. سرد التفاصيل، كيف وضعوه لستة أشهر في زنزانة انفرادية، ينسونه لأسابيع ثم يتذكرونه، فيجلسونه على الكرسي الألماني ويطالبونه بكل الأسماء التي يعرفها في باب الحديد. أعطاهم في البداية أسماء القتلى، وإذا راجعوا مخبريهم واكتشفوا أن فلاناً مات يدّعي الشامي المفاجأة والذهول. عادوا إليه في النهاية، كهربوه، وطالبوه بالمزيد.

وأعطيتهم؟

كنت أعرف أن كل اسم أذكره سيُجلب إلى هنا ليلقى مصيري نفسه.

صرت أصلّي، أصلّي كي أبقى حيّاً، كي يمدّني الله سبحانه وتعالى بالصبر.

لم يكن يعرف الصلاة قبل السجن، التحق في شبابه بمنظمة اشتراكية لم تكن تقيم للدين وزناً، حاول الحصول على مصحف فلم يعطوه بل صفعوه، أرسل له الله سجيناً في زنزانة مجاورة، ملاكاً هبط من السماء، يحفظ القرآن عن ظهر قلب، يتلو له الآيات من خلف الجدار وهو يعيد من ورائه، بقي يلقّنه لأشهر ربما ولم يرَ وجهه يوماً. تأثر إسماعيل، زادت عيناه اسوداداً وهو يسأله:

لم ترَ وجهه؟

لم أره أبداً، كان صوته صافياً ورخيماً وكنت أعرف عندما تضعف نبرته أو ترتجف بأنه تعرّض للضرب والتعذيب، لكنه كان يُكمل التلاوة ويُعيد، وباتت حياته وحياتي معلقتين على آيات الله. لكنه سكت فجأة، غاب، عبثاً ناديته ورددت عليه الآيات التي لقّنني إياها فلم يأتني منه جواب. أخذوه، وأعتقد أنهم نفذوا فيه حكم الإعدام.

صار ياسين يصلّي وحده، يعيد ما حفظه عنه، وعندما يسمعونه يجوّد كانوا يشتمونه ويسحبونه للضرب. قلعوا أظافر يده اليمنى، ثم كأنهم اقتنعوا بأن ليس لديه المزيد، رموه في غرفة عمومية بمرحاض واحد فيتحول انتظار الدور صباحاً إلى عذاب ما بعده عذاب، وكم مرة عجز أحدهم عن مسك نفسه فينهار ويفرغ في ثيابه.

نقلوني من سجن إلى سجن، رأيت أطفالاً ونساءً، وسمعت أصواتاً لا تحصى تصرخ من الألم والمذلّة.

في يوم الجمعة التالي، أقفلا باب الفرن، فأحسّ إسماعيل للمرة الأولى

بالفخر وهو يسير نحو جامع العطّار إلى جانب ياسين الشامي الذي يلوي جسمه في كل خطوة بسبب ظهره المكسور، ومن هناك، بعد الصلاة، اصطحبه للمرة الأولى إلى مركز "الهداية الإسلامية"، فرسما في تلك الظهيرة، وفي محيط مئات الأمتار، بين عقبة الصوفي وسوق الخشب، المثلّث الذي سيمضي إسماعيل محسن ضمنه الأشهر التالية من حياته الجديدة. إطفاء الفرن وتنظيفه بعد نفاد أقراص العجين، ركعات التعويض والصلاة في المسجد والانفراد هناك بين الظهر والمغرب ثم إكمال النهار متطوعاً في المساعدة على الخدمات التي تقدمها الجمعية.

أهدوه المصحف مجوّداً على شريط وآلة تسجيل صغيرة مع سمّاعات تمكنه من التشبع بالقرآن من دون انقطاع، شرط ألاّ يدخل في المسجّلة أي شريط آخر مهما كان. أذنوا له بالدخول إلى شبكة الإنترنت من حاسوب الجمعية مع لائحة بالمواقع الإسلامية. التقى شيخاً زائراً من جزر القمر، يبتسم ويتكلم العربية بلهجة لم يعتدها إسماعيل، يحكي بالفرنسية وبطلاقة أهلها إذا اضطر إلى الإجابة على مكالمة يقول إنها طارئة و"من الخارج". جاء يقول لهم إن الجهاد لم يعد فرض كفاية بل فرض عين، نظراً إلى ما تتعرض له أمة الإسلام في العراق من عدوان ليس بمقدورها دفعه وحدها فيعمّ الواجب جميع المسلمين من أقربهم منها إلى أبعدهم ويرجع دائماً إلى الآية: ﴿كُتِبَ عَلَيْكُمُ الْقِتَالُ وَهُوَ كُرْهٌ لَكُمْ﴾ لكنه يشفعها بأخرى: ﴿انفِرُوا خِفَافًا وَثِقَالًا وَجَاهِدُوا بِأَمْوَالِكُمْ وَأَنْفُسِكُمْ فِي سَبِيلِ اللَّهِ﴾، وينتهي بإحالة من يجاهرون برغبتهم في المساعدة على الأخ أبي مصعب الذي لم يكن يحضر جلسات الإرشاد هذه.

اشتهرت جمعية الهداية الإسلامية بسرعة، حُكي عن أموال وفيرة تصلها، توزعت مكاتبها على مبنى من ثلاث طبقات بأكمله، وصار يقصدها أبناء الأحياء القريبة والبعيدة. طلبوا من إسماعيل المساعدة في الطابق الأرضي على استقبال الزائرين وتوجيههم، فرآهم يدخلون وسمعهم يطلبون. من يكشف ثوبه عن جرح عميق مقيّح في خاصرته يريد له شفاء بعد أن رفضت مداواته أقسام الطوارئ في المستشفيات، التي تُقسم وهي تحمل رضيعها ويحيط بها أولادها أنهم ناموا جائعين أمس، من يقترب من إسماعيل ويطلب منه بحزم وبصوت هامس مساعدة مالية كأنه يطالب بحقّ له مسلوب، المتطوّع لعمل مقابل أجر، لا يتقن مصلحة لكنه يقبل بأي عمل كان وبأي أجر كان، من يحلم بالأنسولين بعد أن يكاد يُفقده داء السكّري البصر، البلا مأوى، العاجز عن شراء كتب المدرسة لصغاره، جار لهم من حيّ الأميركان يشعر بالحياء إذا وقع على ابن بلال محسن فيعود أدراجه كأنه دخل إلى المكان الخطأ، المصاب بفالج نصفي يجب انتظاره كي ينجح في الإفصاح عن مطلبه، بحر لا ينضب.

كبر بينهم، لا يعرف غيرهم، عوزهم وأمراضهم تكملة لحياته وحياتهم، لكن لمّا بدأوا يأتونه متسوّلين مستسلمين ضاقت به الدنيا وصار يعود إلى البيت مكسوراً يتشدد في فروضه الدينية ويتحادث مع الشامي في الصباح حول رفع الظلم عن أمة الإسلام حتى سئم يومياته فتذكر أبا مصعب. سأل عنه في جمعية الهداية فهمس أحدهم في أذنه أن أبا مصعب سيعاود الاتصال به. هكذا تحدث الأمور مع شبح الجمعية الذي يحكى عنه كثيراً وقلة من يرونه. النتف المتداولة حوله صنعت له

هالة، تعرّف على أيمن الظواهري وتدرّب في أفغانستان، تخيّله إسماعيل بصور مختلفة، لكن آخر ما توقّعه أن يكون هذا هو أبو مصعب الذائع الصيت: رجل عادي المظهر، يشبه جابي الكهرباء الذي توقف عن زيارة حيّ الأميركان، معتدل القامة يرتدي سروالاً من الجينز المعتّق، دخل الفرن يسأل عن إسماعيل فوجّههما الشامي إلى الغرفة الخلفية حيث بدأت علاقتهما وسط أكياس الطحين وتنك زيت الزيتون. امتحن صدقه وائتمانه على المال، أرسله لشراء أشياء يعرف أسعارها، أعجبه فيه أنه لا يتدخل في ما لا يعنيه، يفعل ولا يسأل، فقرر تدريبه على العمليات المركّبة. استأجر له دراجة نارية وطلب منه صباح يوم الأحد السابق لمحاولة تفجير المعبد الهندوسي قيادتها تحت سماء ماطرة في اتجاه العاصمة لاستكشاف المكان الذي يجتمع فيه العمال والعاملات السريلنكيون للصلاة. طلب منه أن يفتعل عطلاً في دراجته في الجوار ويراقب ماذا يحدث، ثم يبلغه بأدق التفاصيل. نجح في مهمته فاشترك مع منفّذ العملية في وضع لوحتَي تسجيل مزوّرتَين على سيارة الرابيد وفي إعداد العبوة الناسفة وهو لا يدري نوع المهمة التي يشارك في إنجاحها.

يوم تأكد إلقاء القبض على واضع المتفجرة في جوار المعبد الهندوسي، خشي أبو مصعب أن ينهار الشاب المعتقل أمام المحققين ويشي به أو بإسماعيل، فعرض على هذا الأخير الرحيل إلى أرض المعركة. خير البرّ عاجله. لم يسأل أحداً، لم يتردد، فدخل الحرب وهو لم يطلق في حياته سوى بضع رصاصات على جذع شجرة زيتون ضخمة في ضاحية المدينة ليتأكد أن مسدس والده لا يزال شغّالاً بعد كل هذه السنوات.

أعطى أمه الهاتف، قبّل يدها، طلب منها أن ترضّى عليه، وفي اليوم

التالي لم يعد إلى البيت عند حلول المساء. انتظرته، لم تنم، تقلّبت في الفراش طوال الليل، وفي الصباح خرجت إلى الجوار تسأل عنه. أخبرتها زوجة المشنوق كيف رجع في اليوم السابق وحده مسرعاً إلى البيت بعد خروجهم الباكر معاً، ربما نسي شيئاً يحتاج إليه، سمعوه يتحرك كثيراً في الطابق الثاني، ينقل أغراضاً ويرتّبها، نزل وبيده كيس أسود، رمى عليهما السلام بكل تهذيب وخرج.

خرج ولم يعد.

سيعود، جزم لها المشنوق. المشنوق جالس طوال النهار على قفاه ويحكي. سألت أصحابه جميعهم، توسّلتهم إن كانوا يعرفون عنه شيئاً، قصدت صاحب الفرن فأنكر، لكنها متأكدة من أنه يكذب ولو أقسم بالله وبالنبي محمّد. حاول زوجها بلال أن يشتمّ خبراً أو إشارة لدى من تبقّى من أصحابه القدامى، رفاق القتال في باب الحديد، لكن من دون جدوى. اشتكوا من أنهم ما عادوا يعرفون الكثير عن الجيل الجديد الذي يجنّدونه للجهاد على شبكة الإنترنت. شقيق إسماعيل الأصغر سمع كلاماً في كاراج الميكانيك، كان ممدداً على ظهره تحت إحدى السيارات يناول المعلّم ما يحتاج إليه من المفاتيح ومفكّات البراغي عندما سأله هذا الأخير بصوت خفيض عن صحة ما يشاع أن شقيقه نشّ. يُستخدم هذا الفعل المائي في الجوار للإشارة إلى الشبان الذين ينفرون إلى أماكن بعيدة، يُطيعون من يفتون في المساجد أو على المواقع الإلكترونية بأن بلدهم أرض نصرة وليس أرض جهاد، فيُكتب عليهم السفر للمؤازرة لترجع بطولاتهم تؤنس آذان من لم يبلغ بعد سنّ التطوّع. تأتي صحيحة، مؤلفة أو مزيدة، من الفلّوجة أو من قندهار وحتى من الشيشان، يكبرون

بالتحاقهم بالجهاد وغيابهم عن الأنظار، يأخذون أسماء جديدة، أبو حفص الشامي، أبو عبيدة الشمالي، يدخلون قطاع غزّة تسللاً عبر أنفاق تهريب المؤونة والسلاح من العريش، تقتلهم غارة لطائرة أميركية من دون طيار وهم يتابعون دورة تدريب في أحد معسكرات وزيرستان الشمالية، يزرعون ألغاماً لاصطياد سيارات الهامر الأميركية على جوانب الطرق في محافظة الأنبار أو تغيب أخبارهم، ينقطع ذكرهم داخل أحد السجون السورية حيث يذوقون التعذيب على أنواعه بعد وشاية لم يُعرف مصدرها.

أما إسماعيل فسلّمه أبو مصعب على عجل إلى مرشد يكبره سنّاً وخبرة. ناما معاً في مسجد قائم عند أطراف المدينة، لساعتَين على الأكثر، صلّيا الفجر ثم أعطاه نصف ساعة ليقرأ القرآن في زاويته، فكاد إسماعيل يغفو من جديد قبل أن ينتزع المرشد منه المصحف وبطاقة هويته. أعطاه إسماعيل كل ما في جيبه وصورة لأخيه الأصغر المريض يضع نظارات حمراء. سلّمه مقابلها هوية عراقية مزوّرة، صعدا في سيارة مرسيدس عتيقة وقد سبقتهم سيارة مرسيدس عتيقة أخرى فيها السائق وحده على أن يعود أدراجه بسرعة وينبّههم بإشارات ضوئية إذا ما وجد حاجزاً مفاجئاً للجيش في منتصف الطريق.

انطلقوا نحو الجبال، اجتازوا قرى مسيحية صغيرة لا تزال نائمة تحت لحاف من الضباب الصباحي، رُفعت عند مداخلها صور فنانين في إعلانات عن حفلات غنائية يحييها "ساحر القدود الحلبية" والراقصة نور العين. مرّوا إلى جانب غابة الأرز فوجد أشجارها قليلة العدد، كان إسماعيل ينظر طويلاً إلى هذه الجبال العالية من نافذة غرفته في بيت

جدّه، أكملوا صعوداً فرأى الثلج ورغب في الترجّل ليمسكه بيديه، لكن في ذلك خفّة حال دونها الحياء وجديّة المهمة. لم يعرف قبلاً سوى حبّات البَرَد يلتقطها أولاد الحيّ في راحاتهم ويذوّبونها في أفواههم ليشربوا ماءها. شاهدوا فتيات بلباس التزلج الملونة والنظارات السوداء ورجلاً يقود حمارَين محمّلَين بالحطب. بعد ساعة ونصف من الوقت، انبسط أمامهم سهل البقاع الفسيح. بمساحاته الخضراء والصفراء المرسومة رسماً، والشمس بدأت تضرب بقوة، فقاوم النعاس حتى خرجوا في لحظة لم يتوقعها عن الطريق العام. شاحنة كبيرة للنقل الخارجي تنتظرهم. ترجّلا من سيارة المرسيدس من دون توديع السائق، ناداه المرشد "أخي" للمرة الأولى والأخيرة وعانقه مودّعاً.

دخل إسماعيل الحاوية من دون أن يلتقي سائق الشاحنة. فجأة أغلق المرشد عليه الباب ليغرقه في ظلمة اعتقد أنه سيعتادها، أن خيط نور سيتسرّب من أحد الشقوق، لكنه عبثاً يوسّع حدقتَيه بينما بدأت الشاحنة تتمايل عند المنعطفات. بقيت العتمة مطلقة، لم يعرف مثلها في حياته. جلس أرضاً، حاول التغلّب على ضيقه بضرب رأسه بحديد الحاوية بانتظام حتى تعب واستسلم لسكون العتمة. فاحت عليه روائح خضر مهترئة وسمع حركة ضعيفة وتنهّداً في إحدى الزوايا، اعتقد أن في جواره كلباً فاحترس. طلع عليه صوت باغته، حروف مألوفة وكلام غامض بلهجة حادة.

نعم؟

سأل في الليل.

يقول لك حاول أن تنام.

صوت جديد بلهجة سهلة يفسّر لإسماعيل ما قاله الصوت الآخر.

والرائحة؟

تعتادها.

وأضاف الصوت الثاني المفهوم:

اشرب الماء دائماً ولو لم تكن عطشاناً.

ثم سمع سعالاً حاداً وبصاقاً. آن أوان السؤال:

من هناك؟

أجابه الصوت الأليف بأن من نصحه بالنوم أخ جزائري "لا نفهم عليه جيداً، نحن أهل المشرق"، وأن معهم في الرحلة أخاً صومالياً لا يتكلّم أبداً.

يسعل ويبصق فقط.

خففت الشاحنة من سرعتها قبل أن تتوقف. سمعوا السائق يجيب مسؤول الأمن عند الحدود أن الشاحنة ذاهبة إلى العراق، فأوصاه هذا الأخير على كيلوغرام من التنباك العجمي وعلبتين من التمور في طريق العودة. يسأل عنه، وإن لم يجده يودعه باسمه في مكتب الجمارك. لا تنسَ.

سقطت عليهم أكياس البطاطا عند إحدى المنعطفات القاسية على الطريق نحو دمشق. بدأ الحرّ يشتد، بدأ متكلم العربية بلهجة البربر بتلاوة سورة الأنفال كأنه في المئذنة يدعو إلى الصلاة بصوت عال، لكنه سرعان ما توقف من الإعياء. سمعوا كركرة أمعاء لم يعرفوها لأي منهم، اختلطت روائح الأجسام بخضر عفنة. توقفت الشاحنة بعد ساعات، سمعوا باب الحاوية ينشق فيتسرب منه ضوء النهار وصوت يحذرهم

ألا يخرجوا فجأة، لأن الشمس القوية قد تحرق عيونهم.

عددهم أربعة. ترجّلوا في وسط الصحراء، أربعة خيالات نحيلة، نظروا في جميع الاتجاهات، اكتشفهم إسماعيل للمرة الأولى، لم ينبس أي منهم ببنت شفة، نظر بعضهم إلى بعض ثم قاموا بحركة لم يخطط لها أي منهم، ساروا كلٌّ في اتجاه، ابتعدوا في العراء. وعندما وصلوا إلى مسافة اعتقدوها كافية لستر عوراتهم، بعضهم عن عيون بعض، جلس كل منهم القرفصاء يقضي حاجته طويلاً. أفرغوا كل ما في جوفهم، مسحوا أقفيتهم بالرمل الساخن وعادوا أدراجهم.

سائق الشاحنة جالس خلف مقوده ينتظرهم، ملتفاً بكوفية ونظارات سوداء كبيرة تخفي وجهه. شربوا ماءً ساخناً من زجاجات تبعثرت في الحاوية، فزحفوا بحثاً عنها في العتمة. توقفوا عند حدود أخرى وجمارك ورشى أخرى، قضوا حاجتهم بالدقّة الهندسية نفسها متوزعين في اتجاهات الأرض الأربعة في صحارى أخرى. عانوا عذاب القبر في حرّ الحاوية وفي السحبة الطويلة من دون توقف. قبل الوصول، ضربت إسماعيل رعشة حمّى مفاجئة، فراح يرتجف وأسنانه تصطك في هذا الفرن الحديدي، وقد سكنه شعور عارم بالتلاشي وسط الظلمة الحالكة، قوة جامحة تشدّ به نزولاً، لا يرى شيئاً ولا يرى نفسه، يمسك يده بيده، يتلمّس رأسه، يضرب راحته على صدره كي يُخرج صوتاً. ارتفعت حرارته كثيراً فبدأ يهذي بالصوت العالي وهو يكرر اسمه الثلاثي كمن ينادي على نفسه من لجّة عميقة يغرق فيها بعيداً عمّن يمكنهم سماعه. لم يكن يطلب النجدة، بل كان يحكي بنبرة أقرب إلى "مباشر" المحكمة الذي ينادي على المتنازعين والشهود بأسمائهم بصوت صارخ وهم

واقفون في جواره تماماً:

إسماعيل بلال محسن من حيّ الأميركان!

ينتظر الصدى الذي يتدحرج قليلاً، ثم يضيف من وقت إلى آخر كأنه يقرأ في بطاقة هويته:

اسم الأم انتصار العمر.

ينتظر ويعيد ويضيف عن أمه التي تخدم آل العزام وعن عبد الكريم بك الذي يقلّم الأشجار القزمة ويتأمل في راقصته حتى قرر الشاب الذي يفهم لهجته الاقتراب منه لمساعدته ومحاولة تخفيف هذيانه في عتمة المكان، فارتعد إسماعيل وصدم كوعه بالجدار الحديدي ما إن حاول رفيق الرحلة ودليلها ملامسته. لكنه أصرّ عليه وحاول أن يحضنه مستدلاً بيديه، فطوّقه من خصره بدل كتفَيه، ولو أضيئت الحاوية في تلك اللحظة لانكشف مشهد الشابين وهما متشابكان بطريقة غريبة. طلب منه أن يخفف عن نفسه، فاطمأن إسماعيل إلى أن أحدهم سمعه، أنه ما زال هنا، مسافراً في رحلة حياته. تغيّرت لهجته فقال بعد أن استفاق نصف استفاقة إنه لا يريد أن يموت هنا، بل في الجهاد في سبيل الله وأمة الإسلام.

هدأ قليلاً، ولما توقفت الشاحنة في محطتها الأخيرة، كان إسماعيل قد نسي كل ثرثراته داخل الحاوية. فُتح عليهم باب الضوء فخرجوا إلى رطوبة مستودع الخضر الفسيح في جوار الموصل. عجزوا عن الوقوف فارتموا بطولهم وبروائح أجسادهم التي كادت تقترب من رائحة الشواء فوق تلال من الخيار والباذنجان يجمّعها التجار هناك قبل تصريفها إلى أسواق المفرّق، فجاء من يرشّهم بالماء فتمتعوا بعذوبة الحياة وناموا لساعات، قتلى من دون حراك، قبل أن يحضر دليلهم الجديد ليوقظهم

ويوزّع عليهم المهمات في مختلف جهات العراق.

القصير القامة الذي سمّوه من دون استشارته "أبو عبدالله الصومالي"، والذي اشتدّ عليه السعال في عتمة الحاوية لحساسية تجاه رائحة الخضر العفنة، انطلق من موريتانيا برّاً إلى مالي وصولاً إلى بنغازي ومنها في باخرة لنقل الماشية إلى مرفأ اللاذقية، ومن هناك عبر الحدود تهريباً مع تجار اليد العاملة الرخيصة إلى لبنان، ثم عاد وعبر الحدود تهريباً أيضاً إلى سوريا ومنها إلى العراق. اجتاز ٥٤٦٧ كيلومتراً براً وبحراً، كان مستعداً لملاقاة وجه ربّه في أي ساعة، لا بل كان متشوقاً إلى ذلك وينتظر، ينام ويصمت وينتظر، يقرأ القرآن بصوت مبهم. أسود نحيل، له ثؤلولة تحت عينه اليمنى مباشرة، خرج فجأة في يوم ربيعي ممتطياً دراجة نارية حطّ بها في حفلة عرس صاخبة يقيمها أكراد فيليون في قرية طوزعركون بالقرب من خانقين. تقدّم حتى وصل إلى وسط حلقة الرقص، وفجّر حزامه الناسف في هذا الفضاء الجبلي البهيج وتحت سماء زرقاء نقيّة، فلم يبقَ منه أثر سوى مقود درّاجته الذي استقر في عبّ شجرة صفصاف تبعد مئة متر عن المكان. أباد أبو عبدالله الصومالي هذا السواد الأعظم من المقيمين في الوطن من سكان قرية طوزعركون التي يعود تاريخها كموقع مأهول إلى أكثر من أربعة آلاف عام، بحسب خبراء آثار جاءت بهم الحكومة في زمن أرادت فيه استمالة الكرد المُتعبين، فلم يبقَ من أهل العروسَين سوى جدّة مصابة بالخرف رفضت المجيء إلى عرس حفيدتها لأنها تريد الاحتفال بزفافها هي أولاً. أبيدت فرقة الرقص والموسيقى التقليدية بعدتها وعديدها، الراقصون الخمسة، عازف المجوز، عازف الناي بيلور، قارع الطاس، نافخ البلابان وضارب الدفّ، لم يبقَ منهم

إلاّ عازف الطنبور المقوّس الذي كان ابتعد قبل قليل ليفرغ مثانته خلف الأشجار، و لم ينجُ إلاّ لأنه أوقع عمامته الحمراء أرضاً وهو يبوّل، واضطر كما في كل مرة لصرف دقائق طويلة في فكّ شملة سرواله وإعادة لفّها. سقط عليه حيث هو جزء من الطبلة والفردة اليسرى من حذاء نسائي، وتوزعت حوله نثر خشبية وحديدية. ولما نجح في النهاية في الوقوف على رجليه والعودة إلى ساحة الرقص، كان هذا الكردي الفيليّ المربوع القامة مقتنعاً بأنه انتقل إلى يوم الحشر من دون أن يسأل نفسه لماذا بقي جسمه وحده كاملاً.

المغاربي الحاد اللهجة والطباع، صاحب ندبة الصلاة، وصل إلى أرض النصرة في لبنان على متن رحلة عادية للخطوط الجوية الجزائرية. تلقّى تدريباً مكثفاً في مخيم عين الحلوة الفلسطيني في الجنوب، فاختار القتال في الميدان كما يسمّونه. أرسلوه دعماً إلى مدينة الفلوجة المحاصرة من رجال البحرية الأميركيين، لكن سواء بسبب خطأ في التعليمات أو أن خارطة الطريق التبست على السائق، المهمّ أن السيارة التي أقلّته مع مجاهدين آخرين بكامل أسلحتهم اصطدمت بحاجز نصبته الكتيبة الإسبانية على الطريق السريع، فحصل تبادل لإطلاق النار، وأخبر الناجي الوحيد الذي فرّ سيراً على الأقدام أن الأخ الجزائري استبسل في المواجهة. كان يطلق النار واقفاً في وسط الطريق لا يحتمي وهو يشتم الإسبان بأقذع السباب الذي لم يُفهم منه سوى الإشارة إلى العاهرات أخواتهم وأمهاتهم، وقد أوقع في صفوفهم إصابات، وهي صياغة يفهم منها عادة أنه لم يسبّب لهم ضرراً جدّياً، قبل أن يخيطه الجندي مانويل الرابض في برج الحراسة، والذي كان يؤدي آخر مهمة عسكرية له قبل

انتهاء خدمته وعودته إلى مسقط رأسه فيلادويد، يخيطه بأن أفرغ فيه من خوفه نصف مخزن رشاشه الثقيل الذي يتّسع لأكثر من ٢٠٠ طلقة وهو من طراز أم. جي. ٣ المعدّل والمصنوع في تركيا لمصلحة قوات المشاة الإسبانية، فقسمه نصفَين عند مستوى الخصر، ليموت وصوته يلعلع في ضواحي الفلّوجة بلهجته الشنّاوية التي حملها معه من قريته في جبال الأوراس. كتبت أمه رسالة إلى وزير الداخلية اللبناني تسأله فيها عن ابنها البريء الذي يحب الحياة واللهو لكنه استدرج عن طريق الإنترنت اللعين، وآخر ما عرفوه عنه أنه سافر إلى لبنان وانقطعت أخباره هناك، فلم يأتها جواب.

صاحب اللهجة الأليفة، المشرقي، الذي واسى إسماعيل وأسدى إليه النصح خلال الرحلة، اعتقل وهو نائم في ملجأ بناية في بغداد، و لم يعرف من الجهاد الذي كان يؤمّل النفس به سوى قاعة الاستجواب في سجن أبو غريب حيث أفرغه المحققون من كل ما يعرفه، ثم نقلوه من الزنزانة الانفرادية إلى قاعة مشتركة حيث تمدد إلى جانبه في اليوم الأول رجل ملتحٍ يلبس قنبازاً أبيض أفصح عن رغبته في التعرّف إليه، فسارع من يهمسُ له في المساء بأن الحشريّ مخبر لدى الأميركيين يؤكد لهم صحة اعترافات المتهمين أو كذبها. حاتم محمد أبو لبن هذا التجأ جدّه بعد نكبة ١٩٤٨ من قريته في الجليل إلى مخيم اللاجئين في جنين حيث أبصر والده النور ثم نزحت العائلة إلى الأردن إثر هزيمة حزيران ١٩٦٧، وبعد ثلاثة أعوام، وبسبب حماسة والده في قتال الجيش الأردني في صفوف الجبهة الشعبية الديموقراطية لتحرير فلسطين، غادروا إلى مخيم اليرموك في دمشق ثم تزوج من فلسطينية مقيمة في لبنان، فانتقل معها

إلى مخيم شاتيلا حيث نجَوْا بأعجوبة من المجزرة الشهيرة، لينجبا ثمانية أولاد رابعهم حاتم الضائع في الوسط بين من يُتّكل عليهم من الأبناء الكبار القادرين على العمل ومن هم في حاجة إلى عناية من الصغار، فضاع ورافق أشبال حركة حماس ومن ثم عصبة "جند الشام" ورفاقاً يتباهون بأن صورهم سوف تلصق قريباً على جدران المخيم كشهداء. كرر المحققون الأميركيون استجوابه لمرة أخيرة، فطلبوا منه وصف تجنيده ورحلته، مرة ومرتين وثلاثاً، تفاصيل، كل التفاصيل، العادية والمملة منها. طلبوا منه أسماء شركائه، فأقسم بأنه لا يعرف أسماءهم بل ألقابهم التي لا تقدّم ولا تؤخّر. طلبوا منه التعرف إلى صور. لم يعرف سوى أبا عبد الله الصومالي، عندما عرضوا عليه شريط الفيديو الذي يقول فيه إنه نفذ العملية الانتحارية في قرية طوزعركون. خلال تكراره مرة جديدة، المرة العشرين ربما، رواية سفرهم إلى العراق والحرّ الشديد في الحاوية، توقف فجأة عن الكلام كمن تذكّر شيئاً يتردد في الإفصاح عنه، فانتبه المحقق الخبير، واتهمه بأنه يخفي شيئاً، فأنكر متلعثماً إلى أن اشترط عليه حاتم أبو لبن إنهاء هذا التحقيق مقابل أن يعطيه اسم أحد الإخوة، وفي اعتقاده أن إسماعيل استشهد في مكان ما من العراق وبالتالي لا يعرّضه للخطر ولا يعرّض الشبكة. ذكر بدقة هذيان إسماعيل وتكراره اسمه الثلاثي ومكان ولادته وإقامته وحتى رقم سجله، وما أخبره عن عمل أمه وبطالة والده وجنون خاله المدرس، فباح بها كاملة للمحقق الأميركي الذي سارع إلى تلقيم الاسم للحاسوب وإرساله إلى بنك المعطيات المركزي في ولاية فيرجينيا من دون نتيجة، ففتح المحققان ملفاً جديداً في قاعدة البيانات الخاصة بأعضاء الشبكات الإرهابية باسم

إسماعيل بلال محسن، مواليد طرابلس، حيّ الأميركان، لبنان، اسم الأم انتصار العمر، التهمة النشاط الإرهابي المنظم.

في الحقيقة، كان أبو مصعب يختار الشباب المجاهدين من خلال مركز "جمعية الهداية الإسلامية" لمصلحة جماعة أخرى تدعى "جند الصحابة"، وكان إسماعيل محسن الأقل جاهزية ضمن رفاق رحلة الحاوية بين لبنان وسوريا والعراق. قيادة الجماعة كانت في حاجة إلى تكثيف العمليات في حربها المستعرة على "المرتدين الذين يحوكون المؤامرات والخطط للقضاء على أهل المسلمين، لكن جند الصحابة لهم بالمرصاد، فلن ندع لهم شاردة ولا واردة وستنالهم الويلات وسيوفنا قادرة على الوصول إلى عمق مناطقهم بإذن الله عز وجلّ"، فوقع الخيار على إسماعيل لوضع حرب "الأعماق" هذه في موضع الفعل، وتقرر إرساله جنوباً. كان متحمّساً لبلوغ الهدف المرسوم له بحيث لم يجد المكلفون بإعداده سبباً ولا متسعاً لكي يشرحوا له أهداف العملية المنوطة به، مستعجلاً للّحاق بمن عادت أخبارهم إلى حيّ الأميركان. ستعود أخباره هو أيضاً في الشريط الذي سجّله وقد أصرّ الإخوة المجاهدون على منعه من توجيه تحية ودعاء إلى أمه، بل طلبوا منه التعريف عن نفسه باسم أبو بلال فقط، لكن رفاقه سيتعرفون إليه بسهولة. حفظ البيان وتلاه عن ظهر قلب مستهلاً بالآية ﴿فَقُطِعَ دَابِرُ الْقَوْمِ الَّذِينَ ظَلَمُوا وَالْحَمْدُ لِلَّهِ رَبِّ الْعَالَمِينَ﴾.

نقلوه إلى بغداد من طرق يستحيل عليه حفظها، وصلوا به إلى شارع بدت فيه معالم ثراء، رافقوه إلى مبنى من طبقتين وأدخلوه غرفة أقفلوا عليه فيها من الخارج، طالبين منه عدم مغادرتها. فيها كل ما

يلزم: حمام، معلبات، تلفاز وتسجيلات لعمليات بطولية واستشهادية وتلاوات قرآنية. يزوره فيها كل يوم أخ يقف على تأمين حاجاته ويشرح له مكوّنات الحزام الناسف وكيفية تركيبه، ويحذّره من احتمال تفجّره قبل أوانه. رمى هويته العراقية المزوّرة ليشعر أنه عار هزيل، فكتب بخطّ يده على ورقة آية قرآنية: ﴿كُلُّ نَفْسٍ ذَائِقَةُ الْمَوْتِ وَإِنَّمَا تُوَفَّوْنَ أُجُورَكُمْ يَوْمَ الْقِيَامَةِ فَمَنْ زُحْزِحَ عَنِ النَّارِ وَأُدْخِلَ الْجَنَّةَ فَقَدْ فَازَ وَمَا الْحَيَاةُ الدُّنْيَا إِلَّا مَتَاعُ الْغُرُورِ﴾. دسّها في جيبه كما علّمته مرة جدّته أم محمود عندما كانت توسع له للجلوس بقربها في كنبة المخمل القديمة. ثم فتح عليه الرجل باب الغرفة فجراً، طلب منه أن يخلع ثيابه، وبدأ يربط له الحزام بعناية حول جذعه العاري تماماً، فأحسّ ببرودة القطع الحديدية على جلده، وبأن جسمه اتحد مع المتفجرات، كتلة واحدة...

دلّه على كاراج لحافلات الركّاب المتجهة من العاصمة جنوباً، ونصحه بألاّ يصعد في الحافلة إلاّ قُبيل انطلاقها بقليل، وألاّ يتوقف لحظة واحدة عن الصلاة في قلبه. شدد عليه في توصية الصلاة التي يجب ألا تنقطع، أن يتلو في سرّه آية آل عمران كاملة، ألاّ يدع شيئاً يلهيه عن الصلاة حتى تحقيق إربه. الصلاة، الصلاة، كررها الرجل من دون توقف حتى تركه بحاله. اختار إسماعيل حافلة كبيرة برتقالية اللون، ظهرها مثقل بالحقائب المحزّمة والأكياس. غبار الصحراء يكسو زجاج النوافذ بحيث تستحيل رؤية المسافرين داخلها. جلس في المقعد الأخير كما أوصوه، فرشة البراغي الحديدية المحزّمة حول جسمه موجّهة إلى الأمام، وكلّ من يكون وراء ظهره قد ينجو من الانفجار. الركاب هادئون، غالبيتهم عائلات بصغارهم وكبارهم. تقدمت الحافلة ببطء، غفل

عن الصلاة، كان مشغولاً بالحزام المتّحد مع جسمه، حاول ردّ رأسه إلى الوراء وإغماض عينيه، لم يصمد في عتمته لأكثر من ثوانٍ، طغت عليه عتمة أخرى كادت تميته، كرّر المحاولة مراراً من دون جدوى، إغماضة عينيه تضعه على شفير لا يحتمله، فراح ينظر إلى المشهد الوحيد المتوافر أمامه من خلال زجاج السائق الذي رسمت فيه مسّاحات المطر نصف دائرتين نظيفتين تظهر عبرهما أشجار النخيل والقوافل العسكرية الأميركية والأفق المصفرّ الضائع. يُبقي يديه بعيدتين لا تلمسان جسمه ولا الحزام، يدلّي رأسه نزولاً، يتفرّس في أرضية الحافلة، يقوم بأي حركة تتيح له تحاشي النظر حتى إلى صاحب الجلاّبية البيضاء الجالس إلى يساره.
لم يتعرّف إلى وجهه، سمعه فقط ينذر من يودّ سماعه باقتراب هبوب عاصفة رملية. لا يغمض عينيه بل يقرّب جفنيه أحدهما من الآخر، يبقى النور متسرباً من بينهما فلا يرى حوله وأمامه سوى أشباح وغباشة ألوان.
بقي داخل فقاعته، لا يتسرّب الوهن إلى تصميمه، لكن قبل الوصول إلى مدينة المحمودية بقليل، حيث طلب منه تفجير سترته عند توقف الحافلة في محطة الركاب التي تكون عادة مكتظة بالناس، ظهر أمامه هذا الصبي.
تذكّر ما قاله أمامه أحد الإخوة أن الدقائق الأخيرة هي الأصعب، فتذكّر الصلاة كي تنجده، بدأ بالآية ﴿وَلِيَعْلَمَ الَّذِينَ نَافَقُوا وَقِيلَ لَهُمْ تَعَالَوْا قَاتِلُوا فِي سَبِيلِ اللَّهِ أَوِ ادْفَعُوا قَالُوا لَوْ نَعْلَمُ قِتَالًا لَاتَّبَعْنَاكُمْ...﴾ يتلو الآية وهو يسابق الصبي القادم من المقاعد الأمامية، يمشي في الممر وسط المسافرين، يمشي نحوه، يمشي خالعاً رجله اليمنى مثل أخيه الأصغر. نظر إليه، رآه واضحاً كاملاً يمشي ويتمرّن على الأرقام وهو يعدّ ركّاب الحافلة، يلمس المسافر بسبّابته كي يحتسبه ويكمل طريقه إلى الخلف، نحو إسماعيل،

سيصل إليه وجهاً لوجه وسيلمسه بإصبعه. توقف إسماعيل عن الصلاة، انقطع صوته الهامس، صار تنفسه صعباً، لن يعدّه الصبيّ إلا إذا لمسه، فيكون ربما آخر راكب في تعداده. من دون أن يخطط لحركته، وعندما اقترب الصغير منه، وضع إسماعيل إبهامه على أنفه وحرّك أصابعه بحركة كراكوزية يُضحك بها دائماً أخيه. أراد رؤية أسنانه ليتأكد أنه لا يشبه أخاه الأصغر، أنه ليس أخاه، وعندما بانت أسنانه الناقصة أصيب إسماعيل بدوار مفاجئ، ضيق يضغط على حلقه، يخنقه. وعندما وصل الصغير إليه وغرز سبابته في صدره إلى جهة القلب وهو يحصيه بالقول سبعة وثلاثين، يمطّها بلهجته الغريبة، انفرج إسماعيل فرغب بشدّة في تطويق الصبي بذراعيه وسؤاله عن اسمه وتقبيله طويلاً في عنقه الرقيقة لولا خشيته من حركة مباغتة تفجّر الحزام.

انفكّ جسمه عن الحزام الناسف، استيقظ من داخله، صار يشعر بأعضائه تتحرك وحدها.

نادت الأم:

محمد!

ابتعد كثيراً عنها، هي الجالسة في الصفّ الثاني خلف السائق.

تعال، وصلنا.

ترجّل إسماعيل من الحافلة في كاراج المحمودية، نزل بهدوء وانتباه، مشى وهو يقوّر بطنه إلى الداخل ليبعده عن الحزام، ليفصل بين جسمه والمسامير... نزع الزنّار عنه في دورة المياه وبوّل، كان يُخرج الماء وينظر من نافذة مربعة صغيرة خلف المرحاض إلى أفق انبسط أمامه، أرض بلا بشر تتدرج من ألوان الصحراء إلى ألوان السماء. بوّل طويلاً، أطول مرة

يتذكرها في حياته. حمل وخرج منه. تنفس عميقاً ورمى الزنّار خلف جدار المراحيض، في فراغ قد لا يصل إليه أحد في المستقبل القريب. عاد ليقف هادئاً لامبالياً وسط زحمة المسافرين الذين توقفوا هنا لقضاء حاجاتهم. مرت إلى جانبه الحافلة البرتقالية الكبيرة المنطلقة بعد استراحة قصيرة في اتجاه الجنوب. رفع رأسه عساه يرى الصغير، لكنه كان على الأرجح نائماً في حضن أمه، أحمر الوجنتين، منهكاً من تعب الرحلة.

- ٦ -

شاع الخبر صباحاً أن الجنود الأميركيين ألقوا القبض على صدّام حسين، فاستسلم المشنوق لإلحاح الجميع وثبّت التلفاز على محطة "الجزيرة".

لا تلعب بها!

أنذرته زوجته المعتادة عبثه الدائم بالمحطات، محاولة انتزاع آلة التحكّم من يده. هو أيضاً صدمه النبأ، صرخ في البداية عند ظهور الرجل الملتحي والمتعب القسمات الخارج مستسلماً من حفرة البستان إن هذا ليس الرئيس العراقي بل شبيه له يدفعون له المال ليؤدي دوره، ثم اضطر أمام الواقع المرير إلى الانكفاء إلى نظرية الخيانة. من خبّأه قبض العملة الخضراء، ٢٥ مليون دولار، فوشى به وانتهى الأمر. مع المشاهد التي يعاد بثّها من دون انقطاع، توالى في الظهور على النصف الأيمن من الشاشة صحافيون عرب وخبراء أميركيون في شؤون الشرق الأوسط ومترجموهم الفوريون اللاهثون لالتقاط فحوى تعليقاتهم حول تأثير الاعتقال على مسار الأحداث في العراق ومستقبل المنطقة، ما أضجر أبناء المشنوق فمشوا إلى الخارج. لم يبتعدوا خطوات حتى أعادتهم ركضاً إلى التلفاز صرخة عالية أفلتت من والدتهم عندما ظهر أمامها من

دون إنذار على شاشة "الجزيرة" وجه إسماعيل، الابن البكر لجارتها انتصار. ففي باب "لكن اعتقال الرئيس صدّام حسين على يد قوات التحالف لم يوقف أعمال العنف والمقاومة"، بثّت المحطة شريط فيديو يقف فيه إسماعيل أمام صخرة مسنودة عليها بندقية رشاشة وشجرة كأنها نبتت في الصخرة نفسها، يرتدي زياً عسكرياً مرقّطاً ويضع على جبينه عصابة كتب عليها لا إله إلا الله محمد رسول الله. لكن الصراخ الحاد والتعليقات التي أعقبت ظهوره حالت دون سماع ما يدلي به بصوت تعمّد فيه نبرة رجولية غليظة، وعندما هدأت الجلبة سمعوا فقط المذيعة تقول إن الشريط يُبث نقلاً عن موقع الجهاد أون لاين، وتضيف أنه لم يتم تأكيد هذه العملية من مصدر آخر. اختفت صورة إسماعيل عن الشاشة ليُبثّ بعدها إعلان لماركة برّادات ومكيّفات كورية. أوقف المشنوق التلفاز بآلة التحكّم عن بعد التي فشلت زوجته في مصادرتها. سألته همساً:

لماذا أطفأت التلفاز؟

كي لا يعود إلى الظهور وتراه عائلته.

ضحك أحد أبنائه ساخراً، وتبادل الجالسون والواقفون حول الشاشة المطفأة النظرات المحتارة، ليصلهم بعد قليل صوت انتصار من فوق. تسأل عن سبب الضجيج فلا تلقى جواباً. سؤالها زاد الصمت ثقلاً في الردهة السفلية.

مات إسماعيل!

همست بها لنفسها بصوت مختنق سمعوه من تحت، لأنهم كانوا يتربصون أدنى حركة في الطابق العلوي، فجاءها الجواب سريعاً من

المشنوق مستبقاً محاولة زوجته لردعه عن الكلام:

لا تخافي، قالوا إن العملية لم تتأكد بعد!

يدين المشنوق لانتصار بتطمين بعد أن كان جازف وجزم لها يوم اختفى ابنها بأنه سيمضي ليلة أو ليلتين خارج البيت ويعود. تلى جوابه المتسرّع سكوت مطبق لثوانٍ، ثم سُمع صوت ارتطام بأرضية الطابق العلوي. يصل دائماً إلى مسامع آل المشنوق وقع الخطى فوق، حذاء بلال رب العائلة وجرجرة أرجل الأولاد أو معالجة السيفون في المرحاض وكركرة الماء الطويلة التي تليه. الضربة هذه ثقيلة وجامدة، انفجرت بعدها الابنة الصغيرة باكية، وعلى عادته في اللحظات التي تفور فيها أعصاب الآخرين، أطلق شقيقها المريض ضحكته الصافية الطويلة. غرز المشنوق بقوة كوعه في بطن زوجته الجالسة إلى جانبه وأشار بعينيه إلى أعلى فنهضت وهرعت صعوداً، وكانت رجلاها السمينتان لا تزالان ظاهرتين من تحت عندما ولولت طلباً للنجدة.

حملوا انتصار إلى السرير، رشّت زوجة المشنوق الماء على وجهها، فركت يديها وهي تصلّي. طالبت انتصار بأولادها الباقين ما إن فتحت عينيها حتى تمددت الصغيرة إلى جانبها في الفراش، وأكمل الصغير اللعبة فارتمى فوقهما بكل ثقله، رفعوه عنهما وغطوها باللحاف هي والصغيرة، فرفعته إلى فوق رأسها وهي تلهث مطالبة بالصبي الثاني. التالي، الباقي لها، يكبر بسرعة، تريده الآن. حسنة عنكم اجلبوه إليّ. سعى ابن المشنوق وراءه. أمك تريدك. بالكاد التفت، يقف ضمن حلقة من المراهقين على الأدراج، مكتّف اليدين، مشغول بالتشاور همساً مع رفاق سنّه. سيملأون الحارة بفعلة إسماعيل، سيكتبون اسمه

ما إن يهبط المساء، سيكتبونه فوق الجداريات الساذجة، بحر ونخيل، شلال كبير من الورود الحمراء الكاذبة المتدلّية من شرفة جرداء، تقليد أمين لسلّة كارافاجيو المليئة بالعنب والتين والإجاص خُطّ فوقها إعلان عن بيع شقّة بالتقسيط وأرقام هواتف لا يعرف الغرض من كتابتها هنا. تمارين طبيعة ساكنة زاهية اختار فنانون متطوّعون من جمعية "معاً من أجل السلام" ذات يوم أن يُفرّحوا حيّ الأميركان بها. سيكتبون اسم إسماعيل بالخطّ العريض، ربما يرفعون له صورة كبيرة. يتقاسمون ثمن رشاشة سوداء جديدة، يستهلكونها عن آخرها، اختاروا "الخطّاط" من بينهم، سيمضي الليل مع رفيقين "يحرسانه" وهو يكتب الشهيد البطل إسماعيل محسن، كلنا إسماعيل محسن، في جنان الخلد يا إسماعيل، من بيت المشنوق، من بيته، وصولاً إلى سوق القمح والطريق السريع. سيمزقون قطع القماش الأسود ويزرعونها أعلاماً هنا وهناك. تطوّع أحدهم للتسلل حوالى منتصف الليل إلى داخل القلعة الصليبية، سيرفع فوق جدارها العالي علماً كبيراً إكراماً لإسماعيل. سيشاهدونه من الحيّ صباح اليوم التالي قبل أن تنتبه إليه كتيبة الجيش المرابطة هناك ليل نهار.

بعد قليل وصل بلال محسن، لحق به الخبر إلى أرصفة تسكّعه، لسعه، تمالك نفسه ومشى. وجد البيت مزدحماً، دخل المرحاض وجلس أرضاً، جمع رأسه بين يديه وأجهش بالبكاء، شتم نفسه لأنه اصطحبه إلى محطة القطار ليدلّه على بطولاته، لأنه أورثه المسدس، لأنه فرح به يوم منعه عن ضرب انتصار. إسماعيل يشبهه، قامته وعيناه ومشيته، يقول الساخرون إنه لا عيب فيه سوى أن بلال محسن والده. وليكن.

أطال الجلوس على الأرضية العائمة بالماء فقلقوا عليه، فتحوا عليه باب المرحاض الذي لا يُغلق من الداخل، أخرجوه وهو يشرق من أنفه دمعاً سال من عينين جافتين ومن أقنية رأسه اليابسة، للمرة الأولى من عمر طويل. وقف وسط الغرفة المزدحمة مستسلماً وقد ارتسمت على قفا سرواله دائرة كبيرة من البلل.

لكن بعد قليل، تسرّب إليه شعور يشبه الفخر، استجمع نفسه وطالب بالتفاصيل أكثر من مرة، فأخبروه عن اسم "أبو بلال" الذي أطلقه إسماعيل على نفسه ففرح به، باسمه. وصفه له المشنوق واقفاً، يلفّ رأسه بعصابة سوداء، عيناه تقدحان ناراً وهو يتلو آية من آيات الذكر الحكيم. يغمض بلال عينيه ويتخيّل آخر لحظات ابنه. هو جاء من ينقذه في باب الحديد، أما إسماعيل فلم يجد أحداً، يحترق قلب بلال لكنه سيقف ويدافع عن إسماعيل الذي مات عنه في العراق. أصغى إلى الشيخ الشاب العائد من باكستان الذي دخل البيت برفقة زميل له من دون دعوة هو أيضاً لاعتقاده أنهم في حاجة إلى إرشاده وعلمه. إسماعيل في الجنّة ومرتبة الشهداء تلي مباشرة مرتبة الأنبياء والصدّيقين، لا تبكوه، وبدأ يعدّ الشهداء وهم سبعة بحسب حديث لرسول الله، سوى القتل في سبيل الله عزّ وجلّ، المطعون شهيد، والغريق شهيد، والمبطون شهيد، وصاحب ذات الجنب شهيد، والذي يموت تحت الهدم شهيد...، فقاطعه محمود شقيق انتصار الذي وصل مسرعاً ومطالباً الجميع بمغادرة البيت رأفة بأصحابه، فخرج الأبعدون والمارة الذين لفتهم الصراخ. هدأ البيت قليلاً، فتذكّرت انتصار أن ابنها اتصل بها أمس تكراراً، تمسّكت بما سمعته أن الخبر قد لا يكون صحيحاً. لكنها لم تعدّل من وضعها،

خرج صوتها من تحت اللحاف:

متى حصل هذا؟

البارحة... اجلسي، تنفّسي! لماذا تطمرين نفسك؟

رفعت انتصار كتفيها تحت اللحاف دلالة على ممانعتها.

هذه المرأة ستموت!

صرخت زوجة عبد الرحمن المشنوق الذي استأنف جلوسه أمام التلفاز، يعاود من وقت إلى آخر التحديق تلقائياً إلى شاشته المطفأة احتراماً، والذي ستمنعه عنه زوجته طوال النهار ليكتفي مع توقف الحركة طلوعاً ونزولاً قرابة منتصف الليل بنصف ساعة من مشاهد المصارعة ولو الصامتة، قبل أن يدركه النعاس فيلف جسمه بغطاء الصوف ويستسلم فوق مقعد الجلوس ورأسه على المسند الخشبي لغفوة لن يقطعها مع إطلالة الصباح سوى طرق عنيف أيقظه من حلم كان يوشك فيه على الإقلاع من أعلى القلعة الصليبية ليطوف في الهواء فوق النهر مثل طائرة الورق التي انقطع خيطها.

ضرب لا يتوقف من قبضة غليظة على الباب الخارجي. الرقيب المشورب العريض المنكبين يصرخ بصوت يريده مخيفاً:

مخابرات!

يعرف حيّ الأميركان الأوامر الصباحية، صوت ارتطام النعال العسكرية بحجارة الأدراج، خرطشة البنادق والصراخ الأخير أحياناً قبل إطلاق النار إذا ما زُيّن لأحد المطلوبين الفرار أو لأحد الشبّان تسريع الخطى إن لمح الدورية تنتشر في الحيّ.

يمتعض الأهالي في عيونهم وسرّهم. يحلمون لأبنائهم بمعاشات

الجنود وضمانهم الصحّي، لكنهم كمن ولدوا وسلاح الدولة مصوّب إلى رؤوسهم.

يشتكون:

إذا حمَلَت في السويد تولّد عندنا!

يقرأون في الجريدة:

"القبض على شبكة من الإسلاميين المتشددين ومصادرة متفجرات في ضواحي باريس، التحقيق معهم يكشف صلات لهم في بيشاور وفي... لبنان".

في لبنان يعني هنا، عندنا.

يتكاثر الحشريون حول بيت المشنوق، يطلّون من النوافذ والشرفات، يقتربون بلباس النوم. رجال الدورية يراقبون جميع الاتجاهات، شاهرين أسلحتهم كأن عدواً سيطلع عليهم في أي وقت من زاوية غير متوقّعة. ينظر إليهم أيضاً من صورته لاعب الكرة، كابتن فريق "التعاضد" الذي قتل قبل أيام خلال هرجة انطلق فيها الرصاص بغير قصد من مسدس أعزّ أصدقائه فأصابه في قلبه. صورته الكبيرة عُلّقت هنا، فوق جدار قريب وتحتها الدعاء: "اللهمّ إني مظلوم فانتصر".

فتح المشنوق الباب وهو يفرك عينيه.

البسوا واخرجوا... الصغار قبل الكبار!

ويضيف الصارخ:

مع الهويّات!

ظهروا تباعاً. عائلة المشنوق، نصف نيام، متبرّمين. أول النازلين من أعلى كان بلال. رجل آخر، التمع سواد عينيه، وقف منتصب الرأس

مشدود الكتفَين كأنه صاحب المكان. يسند يديه على دفّتَي الباب.

ماذا تريدون؟ هذا بيت إسماعيل بلال المحسن.

أضاف أل التعريف إلى اسم عائلته وأنهى كلامه بنبرة قاطعة.

فصرخ أحد شبّان الحيّ: "الله أكبر!". كررتها بعض الأصوات المتفرقة من ورائه.

من الخلف، دفع أحدهم بأحمد الملقّب "الحبّ"، أبله الحيّ، فتح له الطريق كأنه يرسله في مهمة مستعجلة، فاقترب "الحبّ" من الرقيب ذي الشاربين المعقوفَين، أطلق في وجهه ابتسامته الخرافية ومدّ يده مستعطياً في هذه العجالة.

أبعدوه!

كان الضابط يقصد بلال، لكن الرقيب دفع "الحبّ" بيده الغليظة، ترنّح المتسوّل، كاد يقع أرضاً وابتعد مثل كلب مطرود، فعلا صوت امرأة تحمل بين يديها رضيعاً فوق إحدى الشرفات العالية:

يا عيب الشوم!

تلتها صيحات استهجان متفرقة.

فطنت انتصار في هذه الأثناء، ما إن انتهت من إيقاظ ربعها، إلى ضرورة التخلّص من هاتف إسماعيل المحمول. أخرجته من حقيبتها وفتحت النافذة لتهمّ برميه خلف البيت، لكنها انتبهت في اللحظة نفسها أنه خيط اتصالها الوحيد مع ابنها. خبّأته خلف كرسي الحمّام، أمسكت ابنها المريض بيد والثاني بيد، ونزلت. ستمسك ابنها الثاني من يده طوال هذا النهار وتعد نفسها بأنها لن تتركه، لن تغيب عن البيت بعد اليوم، لن تذهب إلى بيت العزام، ستبقى خلفه. تسلل في الليل للّحاق

برفاقه كما تواعدوا، حدس ما جعلها تنهض لتتفقّده في الغرفة المجاورة، ركعت على ركبتيها وراحت تتلمس أولادها في العتمة الكاملة فلم تجده. ولما عاد مع تلويحة الفجر بعد أن ملأ ورفاقه الحيّ كتابات، لم تجد في نفسها القوة على محاسبته، فانتقلت وتمددت إلى جانبه. استيقظ على صراخ المخابرات الصباحي والضرب على الباب. وقف، ووقفت معه، تركها تمسكه من يده ونزلوا جميعاً إلى حيث كان جنديان يحاولان عبثاً زحزحة بلال من المدخل. قوة غريبة استوطنت جسمه النحيل، تكاثروا عليه بعد أن ناداهم الضابط، اقتلعوه قطعة واحدة. حملوه من جذعه، غاب جسمه بين بزّاتهم العسكرية الخضراء، تخلّى عن المقاومة بيديه ورجليه، حصر ما بقي له من عزيمة في منبت كتفيه ورقبته. مشوا به وسط ارتفاع الأصوات المعترضة، كان مستسلماً إلاّ من رأسه المرفوع ونظراته السوداء تشعّ حماسة يدور بها في كل اتجاه كي لا يفوت أحد من أبناء الحيّ ثأر بلال محسن من ماضٍ بقي يجرجره ثقيلاً حتى الأمس.

عند مرورهم به أمام الضابط أمرهم بصوت معتدل هذه المرة:

إلى الشاحنة!

نزلوا به إلى جوار النهر حيث أوقفوا آلياتهم، فبدوا كأنهم يحملون فائزاً في مباراة رياضية.

فصلوا الصغار عن الكبار والرقيب يكرر تنبيهه للأولاد أن يصمتوا. دخل إلى البيت شاب يضع نظارة ويحمل حقيبة، جال في الطبقتين بحثاً عن أدلّة. انحنى تحت مقعد الجلوس في الردهة الخارجية، تفحص خلف التلفزيون، صعد إلى الطابق العلوي، أطل من النافذة الوحيدة، يحدث أحياناً أن يعمدوا إلى تدلية ما يريدون إخفاءه من النافذة إلى الخارج.

وصل بسرعة إلى الحمّام فإلى الهاتف المحمول. دخل إلى ذاكرة الهاتف فاكتشف هو أيضاً أنه لم يجرِ منه أي اتصال بل تلقى عدة اتصالات من الخارج من رقم واحد ظاهر. أنهى جولته في الطابقَين وسلّم الغنيمة للضابط الذي رفع هاتف النوكيا الأحمر من طراز ٨٨٩٠ عالياً:

لمن هذا التلفون؟

أفلت قلب انتصار من جديد.

لا أحد يجيب.

يسود صمت يتابعون خلاله الضابط وهو يخرج هاتفه الشخصي من جيب سترته العسكرية، يمسكه بيده اليسرى، فيصير معه في كل يد هاتف، يرتبك قليلاً ثم يجد وسيلة كي يطلب رقم هاتفه من الهاتف المصادر. يرنّ هاتفه وسط الترقّب العام، يظهر الرقم على شاشة هاتفه فيعيد السؤال:

لمن هذا الرقم ٠٣١٥٦٧٨٢؟

يجيبه صوت امرأة تطلق سبحة كلام مبعثر وصل إلى مسامع الضابط، قبل ظهورها مهرولة من الجهة العليا، هلوسة نهارية لا يعلق منها في الآذان سوى عبارات منفصلة، النار، الحرام، العيب.

حميدة، يسمّونها المجنونة أيضاً. نزلت الأدراج بخفّة الراقصة، نحيلة منقّبة بالأسود، وقفت أمام الجنود تنظر في وجوههم وتوزّع عليهم اللعنات التائهة، فاحتاروا في أمرها واكتفوا بالابتسام. أكملت طريقها وسطهم، تعرف أنهم لن يلمسوها، تنزل درجتَين وتلتفت وراءها وهي تكمل دعواتها التي ستوزعها كما كل يوم في سوق الخضر كيفما اتفق وهي تلوّح في وجوه الباعة والزبائن بجزدانها الأسود

الصغير المطعّم بمعدن أبيض لمّاع.

سادت لحظة تردد استأنف خلالها صوت خلفي الهتاف في وجه المخابرات بالروح بالدمّ نفديك يا شهيد، تلاه سقوط أول حجر أصاب أحد الجنود في كتفه، احتار ماذا يفعل فنظر إلى الضابط، رفع رفاقه بنادقهم، خرطش أحدهم سلاحه، سقط حجر ثانٍ وارتفعت هتافات، شهر الضابط مسدسه وأطلق النار في الهواء، فتراجع الجمع قليلاً إلى الوراء. وجّه الجنود بنادقهم إلى الصدور، وطالب الضابط بمن رموا الحجارة فقال أحدهم إنهم صغار لاذوا بالفرار وأنهم سريعون في الجري لا يمكن اللحاق بهم، فختم المشنوق المسألة:

إذا كنتم تبحثون عن إسماعيل محسن فهو ليس هنا، لقد استشهد في العراق، رأيناه أمس على شاشة ”الجزيرة“.

صرخت انتصار ألماً كأنها سمعت النبأ للمرة الأولى، فطوّقت الصغيرة بيديها القصيرتين ما بلغته من جسم أمها ودفنت رأسها فيه. مسحت نساء الجيرة دموعهن بالمناديل. أمر الضابط رجاله بالانسحاب مكتفياً بغنيمته الصغيرة.

تناهى إلى ياسين الشامي خبر وجود المخابرات في الحيّ، فأحسّ فجأة بوجع في فقرات ظهره وهو جالس، لا يشعر به عادة إلاّ إذا سار على قدميه فيضطر إلى أن يلوي جسمه إلى اليمين كي يخفف عن نفسه، لكن ها هو الألم يمسكه بقوة. ما إن يمثل في ذهنه خطر ما حتى تعاوده اللحظة التي كسروا له فيها ظهره. أتاه الألم موجات متلاحقة وعادت إليه روائح السجون، لكل سجن جرجروه فيه رائحة في ذاكرته، لن يضع نفسه من جديد تحت رحمة كلاب ينهشون لحمه، استحقّ موته

١٤٢

الآن. فتح قفل الدرج بالمفتاح ووقف إلى جانبه تنفيذاً لقرار اتّخذه بينه وبين نفسه من زمن طويل. سيفتح القنبلة أولاً ويرميها على من يدخل محاولاً اعتقاله، ثم يسرع إلى الرشاش المخبّأ في غرفة المؤونة الخلفية. سيطلق النار في جميع الاتجاهات، سينهي الممشط الأول ويلقّم الثاني، ستين طلقة حتى الموت.

استفهم من كل زبون صباحي دخل إلى فرنه عمّا يحدث خارجاً، ارتفع توتره عندما أخبروه أنهم يطوّقون بيت المشنوق، ارتاح عندما عرف أنهم لم يجدوا ما يصادرونه سوى هاتف جوّال لكنّه لم يسكن. سمع جلبتهم ينزلون قبل أن يراهم، ظهر جندي في بابه، يدير له ظهره، مدّ ياسين يده إلى القنبلة أمسكها في قبضته، إذا التفت الجندي نحوه سيفتحها ويرميها. لكنه سمع أمراً صارخاً غير مفهوم، فهرول الجنود نزولاً من دون أن يلتفت أي منهم إليه. أقفل درج القنبلة وخرج إلى الرصيف ليتابع بلال محسن وهو يلوّح بيده للأولاد الذين لحقوا بالشاحنة وهم يهتفون للشهيد، حتى غابت القافلة العسكرية في شوارع المدينة الصباحية.

أدخلوا بلال إلى إحدى الثكن عند أطراف المدينة، استجوبوه شكلياً ففاض بكلام لم يُطلب منه، توعّد الأميركيين، لن يهنأوا باحتلال العراق لأن الأرض العربية مقدّسة، هناك آلاف من الشبّان سيسلكون طريق إسماعيل. ثم بدأ من دون سؤال يخبرهم عن ثورة باب الحديد وعن الشيخ عماد ورفاق القتال، يتذكّر أسماءً وتواريخ. ضجروا منه، توقفوا عن التدوين، أقفلوا المحضر وطلبوا من بلال توقيعه، فقرأه هذا الأخير واعترض على عدم ذكر كلامه الأخير فزجروه وانصرف. خرج من

الثكنة وسار بخطى ثابتة في اتجاه المدينة، سيعود إلى باب الحديد مرفوع الرأس، لن يتهمه أحد بالفرار، لن يسخر منه أحد.

مشى إلى جانب الطريق يتابع مرور السيارات كما كان ابنه إسماعيل في اللحظة نفسها تقريباً يتابع في مدينة المحمودية جنوبي العاصمة بغداد الحافلة البرتقالية تغور في المنعطف البعيد ثم يمشي نظيفاً. لم يسألوه عن اسمه لا في الموصل ولا في بغداد، لم يضرب له أحد موعداً. الدنيا ملكه، الطرقات مفتوحة مشمسة مثل صباحات الهروب من المدرسة والتشرّد في أزقة حي الأميركان. يخترق جمهرة نساء يزقزقن بالعراقية الصعبة، إحداهن، سمينة قصيرة، تخبرهن وتوزّع عليهن الضحكات. ينظر كأنه لم يرَ نساءً بأغطية رؤوس وجلابيب ملوّنة من قبل. تتدفق السيارات وسط الطريق العريض، الجالسون بأسمالهم على سطوحها يهتفون فرحاً. رتل طويل، عربات من كل صنف تحتفل بإلقاء القبض على الطاغية، مثل الجرذ أخرجوه من الحفرة، تقول الكتابة على قماشة مرتجلة، الإعدام، الإعدام، يصرخون، والغبار المتطاير من تحت العجلات يلفّهم ويلفّه وهو يتأمل وجوههم الفرحة. يرمي أحدهم شحاطته في الهواء ابتهاجاً فتسقط أمام إسماعيل، تطفو على وجهه ابتسامة، ابتسامته الأولى منذ أشهر طويلة.

لم يعطوه موعداً، سلّموه فقط مبلغاً من المال، اشترى حقيبة ظهر وقبعة خفيفة وزجاجات ماء بلاستيكية وخرج من المحمودية. مشى كي يمشي، يحبّ الشمس الحارقة، امّحت فعلته، تنظّف منها وبقي خيالاً نحيلاً على طرف الطريق لا يلتفت إلى منبهات حافلات الركاب التي تريد أن تقلّه إلى وجهتها، يلوّح له بيده العسكري الأميركي من فوق

عربته المصفّحة بلون الرمال. يجدّ في المشي، تظهر إلى يمين الطريق غوطة خضراء تناديه، ينحرف داخل المنبسط ويستلقي على ظهره في العشب العالي الرطب. يطنّ صوت زيز في الفضاء وهدير بعيد عميق للشاحنات العابرة. نام إسماعيل هنيئاً سابحاً بالقرب من جمّ فوّاح من الأقحوان البريّ الأصفر، رأى منامات طفولية متقطعة مثل مختارات من زمن السعادة، وأيقظته منبهات السيارات، مواكب تمرّ مسرعة وستبطئ سيرها داخل المدن، ما زالوا يحتفلون باعتقال صدام حسين. طال تمدده في الظلّ، شعر بالحاجة إلى التبوّل من جديد، لا يدري من أين يأتيه كل هذا الماء، شد الحقيبة على كتفه، عاد إلى الطريق العام واستأنف المسير، فصار يصغر ويصغر في الأفق ليتحوّل إلى نقطة سوداء ترتجف على سطح السراب المنبعث من الأسفلت الجديد الذي فُرش به الطريق الممتد بين المحمودية وبغداد.

بغداد التي دخلها مع الغروب جائعاً ويدٌ خفيّة تقوده في المدينة المترامية حتى رأى كشكاً لبيع الهواتف الجوالة فتذكّر أمه وهاتفها، ما زال يحفظ رقمه، انحفر في ذاكرته، خيطه الوحيد. اشترى هاتفاً مستعملاً بسعر بخس، جلس على طرف الرصيف واتصل بها. عند سماعه الرنة في الطرف الآخر شعر فجأة بأن جداراً ارتفع بينه وبين حياته الأخرى، أحس أن صوته لن يصل، طلب أمه مرات عديدة من أمكنة عديدة، تجيبه ويعجز عن الكلام، يسمع صوتها ويقفل الخطّ. عجز عن التفوّه بكلمة واحدة، يريد فقط أن يسمع صوتها ويسألها عن أخيه المريض. حاول الكلام لكن صوته بقي مكتوماً. كذلك عندما رنّ هاتفه الجديد في اليوم التالي بصورة مفاجئة، وقال المتحدث إنه عبد

الكريم العزّام لم ينجح إسماعيل في إخراج كلمة واحدة.

سأل عن فندق للنوم فدلّوه على نزل في حي الغدير بالقرب من شارع فلسطين. طلبوا منه الدفع سلفاً وبقي النزيل الوحيد فيه حتى حضرت مع هبوط المساء عائلة من ثلاثة أجيال، جدّة وأب وأمّ وأولاد، مسيحيون باعوا كل ما يملكون، يبيتون ليلتهم في النزل ويسافرون غداً إلى سوريا ومنها إلى لبنان ومن هناك ربما إلى كندا أو السويد. الجدّة أخبرته قصتهم. امرأة بيضاء لا تزال جميلة، انتبهت من النظرة الأولى إليه عند دخولهم النزل الصغير، كما قالت، إلى أنه ليس عراقياً. استفهمت منه عن حاله ووجهته، أنا من لبنان، قال إسماعيل من دون تفكير.

وماذا تفعل في بغداد؟

بقي سؤال الجدّة معلّقاً في فضاء النزل.

لم تتراجع. حكت له عن أقارب لهم في لبنان، ستموت خارج العراق، لن تدفن بجانب أهلها وهي ترافق ابنها وعائلته لأنهم رفضوا الرحيل من دونها.

هل تأخذونني معكم؟

خرج السؤال من فمه، قوة أعلى منه أملته عليه. قوة أمه وشقيقه المريض.

رقة في عينيه وحساب بسيط بأن وجود شاب مسلم معهم في السيارة ربما قد يوفّر على العائلة المهاجرة بعض المتاعب عند الحواجز، دفع المرأة الستينية التي لم تتخلّ عن أيقونة مريم العذراء في رقبتها إلى الموافقة على اصطحابه معهم.

وبينما الجدة تخبر العائلة أنهم سيصطحبون معهم راكباً إضافياً،

١٤٦

سمع نفسه يقول من جديد إنه أضاع صباح اليوم أوراق هويته في المحمودية.

هنا أيضاً لم تتراجع. وجدت الحلّ بعد تردد بسيط:

أنت في عمر حفيدي، سبقنا إلى سوريا ومعنا هوية ثانية له، تحملها عند اللزوم.

أضافت مبتسمة:

تشبهه في كل حال.

تقرر مصيره في ردهة النزل الكئيبة بين وجه أمه الذي لا ينفك يناديه منذ ترجّل من حافلة المحمودية ووجه هذه المرأة السافرة التي تشبه بهندامها المسيحيات اللواتي كن يلحقن بالكاهن إلى كنيسة السيدة في حي الأميركان.

في الصباح الباكر، استقلّت العائلة باصاً يتّسع لأفرادها وحقائبهم بعد أن كانوا استمعوا في الأمس إلى آخر عظة لكاهن الكنيسة يفتخر للمرة الألف بأنهم المسيحيون الأوائل وبأنهم الوحيدون الذين يتكلمون لغة يسوع الناصري. عبروا إلى سوريا في اليوم نفسه حيث لم يوقفهم أحد، بل كان المسلحون والجنود النظاميون يطالبونهم بالإسراع في الإقلاع، باستثناء حاجز الحدود الأردنية حيث اكتفى الجندي بالسؤال عن أسماء الركاب واحداً واحداً من دون طلب بطاقات الهوية، فتكفلت الجدّة بالتعريف عن الجميع وسمّت إسماعيل باسم حفيدها ليصلوا دمشق مساء اليوم نفسه حيث باتوا ليلتهم لدى أقارب سبقوهم إلى هناك. أصرّ إسماعيل على إكمال الرحلة إلى لبنان في اليوم التالي، فوصل إلى حيّ الأميركان ليلاً.

تعمّد الوصول ليلاً، من الجهة العليا. مرّ من أمام دكان خاله المقفل فقرأ اسمه.

الشهيد إسماعيل محسن.

أصيب بدوار، ارتبك كالهرة التي تقع فجأة في دائرة ضوء باهر. انتصب أمامه الجدار من جديد، أنزل القبعة على وجهه، تراجع خطوة خطوة حتى اعتقد أنه خرج من الدائرة التي اقتحمها. استدار ومشى، رأى وجهه في مكان آخر وإلى جانبه:

ارتقى الشهيد إلى الفوز الأكيد والتوقيع "شباب الشهيد إسماعيل محسن".

خاف فأسرع الخطى صعوداً، التقى شابّين يتحادثان بصوت مسموع، عرفهما، تمهّل كيلا ينتبها إليه، لم يعرفاه، لم يتوقعاه، لم يلتفتا إليه وابتعدت أصواتهما نزولاً. طار هارباً لا يلتفت وراءه. الشوارع مقفرة مقفلة، تاه ساعة واستقر في الطاحونة الخربة على ضفة النهر حيث كان يسبح عارياً مع رفاق أحسّ فجأة وهو ينظر من هناك إلى حيّ الأميركان بمصابيحه الليلية المتفرقة أنه خرج من عالمهم منذ زمن. بقوا صغاراً يافعين وتركوه يكبر هكذا وحيداً ينتظر الصبح متّكئاً على حجر الرحى لا يغمض له جفن، يصلّي الصبح ما إن يسمع الأذان من جامع العطّار، ينهض، يقطف برتقالة ويقشّرها بأصابعه فتعود إليه صورة عبد الكريم العزّام. اجتاحه حنان غريب لم يتوقعه إلى ساكن البيت الكبير، فحزم أمره ومشى إليه من طريق خارجي.

لا يعرف أن خليّة المعلومات كما يسمّونها أبلغت ضابط المخابرات أن تتبّع حركة الاتصالات الخاصة بهاتف انتصار محسن أوصل إلى

النتيجة الآتية: رقم الهاتف العراقي اتصل مراراً برقم الجوال اللبناني الذي ضبط في بيت المطلوب والتكملة أن رقماً لبنانياً ثابتاً اتصل بدوره مراراً بالرقم العراقي نفسه وأن رقم الهاتف هذا مسجّل باسم عبدالله مصطفى العزّام. فضّل الضابط توخّي الحذر. أجرى اتصالاً على الرقم المسجّل أمامه وأقفل الخطّ عندما رفعت السماعة وسمع الصوت في الجهة المقابلة. رجل. ثم وصل التقرير الاستخباري الأميركي حول إسماعيل محسن، فأعجب المسؤولون في خليّة المعلومات بدقة ما في حوزة وكالة الاستخبارات المركزية، خصوصاً حول أن الملاحق خطير جداً وينتمي إلى تنظيم القاعدة في بلاد الرافدين، وأنه لم ينفذ العملية الانتحارية التي أرسل من أجلها إلى العراق لأسباب مجهولة، وأن هذا التراجع يحصل أحياناً، بالرغم من الشريط الذي بثّه تلفزيون "الجزيرة"، وأنه ربما عاد إلى بلده.

طُلب من مخبر في حي الأميركان تعقّب أخبار إسماعيل محسن والإفادة بما يحكى عنه، وتقررت مراقبة منزل آل العزام على مدار الساعة وفق ما أمر به الضابط:

أبلِغوا المركز بكل ما يحدث، ومهما حصل لا تأتوا بحركة من دون استشارة القيادة، اعفوني من أولاد العائلات، هذا جده زعيم كبير!

في إشارة إلى مصطفى العزام.

تناوب ثلاثة عناصر على الجلوس خلف مقود سيارة الجيب البيضاء الجديدة من طراز ميتسوبيشي وعليها لوحة الأمن الداخلي إلى جانب الطريق مقابل بيت العزّام. ثماني ساعات لكل منهم، يقضون حاجاتهم في محل الحلويات، يأكلون الشورما أو الفلافل مداورة، يضجرون،

فاعتقد المارة وسكّان الجوار في الأيام الأولى أن سيارة الدفع الرباعي الرسمية تعود إلى مرافقي ضابط كبير ربما يكون انتقل أخيراً إلى السكن هنا في إحدى الشقق الجديدة.

يلفت بعضهم انتباه بعض إلى خادمة المنازل الأفريقية الجميلة التي تعمل لدى إحدى العائلات في الجوار، يراها المناوب الصباحي تتقدّم برشاقتها على الرصيف فيضيء في وجهها مصابيح الجيب، تبتسم، يرميها بكلام معسول عند مرورها في محاذاته ويتابع تمايل ردفَيها على المرآة العاكسة أمامه فيفوته ظهور إسماعيل محسن وقد أنزل قبعته العراقية على وجهه، يمشي بلحف الجدار وينسلّ من باب الحديقة إلى منزل آل العزّام. تسلّق قليلاً وأدخل جسمه من نافذة المطبخ، ارتمى منهكاً على المقعد ونام لتوّه.

وجده عبد الكريم في المطبخ فجمد واقفاً في الباب، جاء يشرب الماء في الليل، كان عبد الكريم حبيساً منذ أيام، منذ توقفت انتصار عن المجيء، البيت متداعٍ على صورته، ثياب الغسيل تلة مكومة في المطبخ، ينام في فوضى أغطية سريره كأنه لم يعش وحده البتة، يأكل القليل ويشرب الكثير. رأى إسماعيل مكوّر الجسم فوق المقعد الذي أوصته أمه بالاكتفاء به. اعتقده ميتاً، خُيّل إليه أنهم نقلوه إلى هنا جثّة، أرسلت انتصار قبل أيام من يعتذر من عبد الكريم، ستبقى غائبة طوال أسبوع لأن ابنها استشهد، ابنها إسماعيل، تقول انتصار محسن أنك تعرفه، قالت له الرسولة التي اعتقد عندما فتح لها الباب أنها مجرد متسولة.

احتار في ما يفعل وهو يتأمل إسماعيل عارياً إلاّ من سرواله الجينز المتسخ ووشم ملاك الموت يغطي ظهره. ناداه بصوت معتدل فلم

يسمع، خاف أن يلمسه بيده فينهار أرضاً بلا روح، رفع صوته فتحرك إسماعيل. ليس ميتاً.

جلس يعتذر عن الدخول خلسة ولبس قميصه ليستر عريه ووشمه:

لا أريد العودة إلى البيت. أمي تقول دائماً إنه ليس لنا سند غير آل العزام، من أيام جدي، لكنني لن أطيل عليك الإقامة ، سأرحل اليوم... أو غداً.

تبقى هنا قدر ما تشاء. هذا بيتك! كنت في العراق؟

كنتُ أركب باصاً في مدينة يسمونها المحمودية، رأيت طفلاً فقلت هذا أخي وأمّاً فقلت هذه أمّي.

لم يسعَ عبد الكريم لكي يفهم:

لماذا وصل خبرك ميتاً؟

لا أعرف. أريد منك طلباً وحيداً، أن تبلغ أمّي أني ما زلت حيّاً.

قاس عبد الكريم العزام المسافة مع حيّ الأميركان، خاف من المدينة لكنه سيجتازها، لن يترك إسماعيل لقدره، تخفّى في نظارته السوداء، فتح الباب وخرج فرآه عنصر المراقبة مسجّلاً أول حركة جديرة بالانتباه في مهمته الرتيبة.

مشى عبد الكريم بخطى سريعة، هانت عليه المسافات حتى اقترب من النهر فلمح عن بعد رجلاً يداه في جيبَي سرواله يتّكئ على حاجز جسر الحديد، لا يلتفت إليه أحد، ينظر إلى السماء البعيدة وينادي بصوت رتيب ضعيف لا ينقطع ولا ينتظر جواباً، ينظر بثبات إلى الأعلى كأنه يرى من يناديه، يا رحمن، يا رحيم، يا عليم، يا معين... رافقه الصوت المجرّح حتى وصل إلى أسفل درج حيّ الأميركان، تذكّر، التفت إلى

القلعة الصليبية، قذيفة مدفع استقرت في سورها العالي حفرت فيه خدشاً مثل ندبة جرح ملتئم.

أكمل صعوداً إلى البيت حيث نادت زوجة المشنوق بالصوت العالي على انتصار فهرعت متّشحة بالأسود لتعتذر منه كونها توقفت عن خدمة بيته منذ جاءها خبر إسماعيل. خرجت وراءها زوجة المشنوق تحاول التقاط الحديث، ابتعدا عن مدخل البيت.

إسماعيل لم يمت!

قالها واثقاً فكادت تقفز لمعانقته لكنها انكبّت على يده تقبّلها وهو يعارك لسحبها.

يريدك وحدك أن تعلمي. لا تخبري أحداً!

بدأت تحكي وهما واقفان تحت لافتة من قماش طبعت عليها صورة إسماعيل كما ظهر على شاشة التلفاز وتحتها عبارة "ما خرجنا إلا نصرة لله سبحانه وتعالى"، تخبره كيف اقترح عليها المشايخ أن يقيموا لإسماعيل صلاة الغائب فرفضت رفضاً قاطعاً لأنها لم تصدّق، لا تريد، لا تصدّق، تمسك عبد الكريم من كمه، تضع يدها في يده وتكمل أنها لم تصدّق أيضاً في الأيام التالية عندما حمل إليها ابن المشنوق مبلغاً من المال أعطاه إياه شخص ملتح ناداه من الحيّ باسمه، انتحى به جانباً وسلّمه مغلّفاً، أوصله إلى أمّ الشهيد يداً بيد، فتحت المغلّف ورفضت لمس المال، أرجعه إلى من أعطاك إياه، إسماعيل لم يمت. كانت انتصار في هيجان وسعادة لم تذقهما في حياتها. تتوقف فجأة عن ثرثرتها وتنظر إلى عبد الكريم كأنها تنظر إلى معشوقها:

أين هو؟

يطلب منك أن تأتيه بالمسدس.

تُحبط قليلاً:

المسدس؟ ماذا يريد من المسدس؟

يريده بأي ثمن. خبّأه على السطح داخل علبة حليب مجفف، شقيقه الثاني يعرف كيف يتسلق إلى فوق.

انتظرها وهي تحاول الإفلات من أسئلة زوجة المشنوق الهامسة التي ارتدت على عبد الكريم داعية إياه إلى تشريفهم بالدخول إلى البيت فرفض مبتسماً مُحرَجاً لا يعرف كيف يقف أمام المارة من سكان الحي الذين لم تفتهم أناقته وحركات جسمه اللينة. أصابته العيون والأسئلة جميعها حتى عادت انتصار وبيدها جزدانها الأسود فدعته، وعيناها تلمعان من فرحة استعادة إسماعيل ولذة تآمرها مع عبد الكريم العزّام، للسير معها نزولاً حتى غابا في المنعطف. قبل مرورهما أمام باب اللحام، أخرجت انتصار من جزدانها كيساً ثقيلاً أعطته إياه وهي تتوسل:

انتبه إليه حماك الله!

أرادت أن تمسك يده من جديد، أن تلمسه، لكنه ابتعد خطوة، فأقفلت عائدة إلى البيت وهي تعد نفسها بأن تقصد بيت العزام صباح الغد الباكر، فيما تلفّت عبد الكريم ليصطاد لحظة ليس فيها عين رقيب فوضع المسدس في خصره، رمى كيس النايلون الأسود فوق نفايات القِصابة وعبر جسر الحديد رجوعاً حيث كان المبتهل قد عدل حركته، أبطأ عبد الكريم مشيته ما إن رآه من بعيد ليتابعه كيف صار ينحني فوق ماء النهر، يأخذ منها طاقة ثم ينتصب بطوله ويرفع ذراعيه نحو السماء التي تلبّدت بالغيوم صارخاً بأسماء الله، فيما لا يلتفت إليه أحد.

مشى عبد الكريم بخطى واثقة وهو يتحسّس بين الحين والآخر المسدس في خصره تحت سترته الخفيفة. كان محمولاً بحماسة المهمة، يسعى للوصول، فدخل البيت من دون أن ينتبه، كما في خروجه، لسيارة المراقبة في الجانب المقابل من الشارع. أقفل الباب وراءه، أعطى المسدس لإسماعيل، أخبره أن المخابرات زارت حيّ الأميركان بحثاً عنه وأن عليه توخي الحذر وعدم الخروج إلى الطرقات.

وأضاف:

أمك لم تصدق موتك!

دخل عبد الكريم غرفة نومه تاركاً إسماعيل عالقاً داخل شعور لم يفارقه منذ رأى صورته على جدران حي الأميركان في الليلة الماضية. صورة لا يتذكر أين التقطت له، لكن كلما عاد إلى ذهنه وجهه الكبير القسمات ينظر في عينيه مباشرة إلى جانب كابتن فريق "التعاضد" المقتول سهواً، يُدرك أنه في آخر الطريق، أن لا مكان يقصده بعد بيت العزام، وساعة يخرج من هنا ستنكشف حياته على الملأ. حتى هنا لا يمكنه أن ينظر إلى عيني عبد الكريم فيكلمه مشيحاً بنظره عنه، يخجل من نفسه ويخجل منه. محبوس هنا في مطبخ أمه. يتأكد من مسدس والده، يمسكه من قبضته فيشعر بأنه ممسك بمصيره، بأنه قادر على فعل شيء لنفسه. يعود إلى انتصار، إلى شقيقه المريض ويستسلم بعد ساعة من تقلبه فوق مقعد المطبخ إلى نوم لم يذقه إلا هنيهات متقطعة ومتعبة منذ عودته من العراق.

غفا إسماعيل فيما عبد الكريم في عز إثارته، تلاحقه المشاعر القوية المتتالية. ارتبك عندما علم بمقتل ابن انتصار في العراق. أحبه، حزن

عليه، ندم عليه، تخيله مندثراً بأشلائه في الهواء، بكاه، رثى لانتصار وتخيل وجهها حزيناً، حسد إسماعيل لأنه سلك درباً يقف عبد الكريم منفياً بعيداً عنه مرة أخرى. ثم اكتشفه في الصباح حياً، خاب ظنه به للوهلة الأولى، نجا بنفسه مثل غيره، ثم فرح لأن إسماعيل عاد، وعاد إلى البيت هنا، لأن الحياة تفوّقت فيه. فرح به وفرح بفرحة انتصار، بالحياة المتدفقة من عينيها على درج الحي. سيساعده ويحميه. حفيد أم محمود وابن عبدالله العزام.

لا يأتيه نوم. غسل وجهه مراراً، أخرج ملصقات الأفلام القديمة التي راضاه بها والده مقابل حرمانه الدخول إلى صالات السينما، طلبها من صديقه صاحب سينما متروبول فتكدّست في البيت، أدار التلفاز، تنقل بين جميع المحطات المتوافرة ثم أطفأه. فتح خزانة فاليريا، تفقّد ثيابها، حاول السير على رؤوس أصابعهوأوا، خطوة ويسقط، أرجل الرجال لا تصلح للبوانت كما يسمونها. استمر في محاولته وهو يتوجه إلى أقراصه المدمجة فأخرج "حلاق أشبيلية" ولقّمه لقارئ الأسطوانات، رفع الموسيقى عن آخرها فارتجّت مكبرات الصوت وهي تُخرج النوتات الافتتاحية لتوقظ قبيل الفجر عدداً من الجيران، فأطلوا من شرفة أو نافذة، إنما أيضاً نبّهت رجل الأمن خلف مقود الجيب فأسكت راديو السيارة وأنصت. كانت المهمة التي كلف بها مع رفاقه عقيمة، بحيث جاءت هذه الموسيقى الطالعة من البيت المراقب تحرك ضجره، فلم يتردد في إبلاغ الضابط المناوب في مكتب القيادة أن أمراً مريباً يحدث داخل البيت.

استيقظ إسماعيل من قوة الصوت معتقداً من تعبه أنه لم يمر على

غفوته سوى دقائق. كان كالسكران، لزمه وقت ليدرك أين هو بعد أن اختلطت عليه الأمكنة التي حاول النوم فيها في رحلته من المسجد إلى الحاوية المظلمة ومن أجمة المحمودية إلى طاحون النهر. فتح باب المطبخ لجهة الصالون فوجده مضاءً ولم يعرف عبد الكريم من النظرة الأولى، لا بل استنتج تدريجاً، في هذيان الصور المتضاربة، أنه هو الذي يحاول الوقوف على رؤوس أصابع رجليه ويجرب بصعوبة الاستدارة على نفسه ثم يتوقف ليحاول بصوته الضعيف مواكبة الكونت ألمافيفا يغني تحت شرفة روزين، فدخل إسماعيل وجلس حيث كان يحاوره ليلاً وسط الأصوات التي لا تهدأ وعبد الكريم مثابر حيناً على الغناء وحيناً على الرقص، يخطو خفيفاً، يرفع رجلاً في الهواء، يفتح يديه للإيقاع، يلتف ويعود إلى وسط الصالون لينطلق من جديد.

وصلت دورية الأمن الداخلي إلى الجوار، سمع إسماعيل صفارات الإنذار، فانتصب على رجليه.

لن يقبضوا عليّ، لن أستسلم!

هرع إلى المطبخ، تناول المسدس، لقّمه وعاد ليشهره في اتجاه مدخل البيت.

توقف عبد الكريم عن رقصته المضحكة وأسكت الموسيقى لتأتيه من الخارج أصوات مناداة عسكرية. صرخ بإسماعيل من قلب مجروح:

سيقتلونك!

أنا ميت في كل حال!

نظر عبد الكريم من حوله فخطرت له فكرة:

لا لست ميتاً، انتظر.

عاد بسرعة إلى خزانة فاليريا، نقل حزمة كبيرة من ثيابها إلى الصالون، رماها فوق الأرائك وفتش فيها حتى عثر على معطفها االشتوي الأسود الذي كانت ترتديه يوم ظهرت أمامه في الأوتوبيس على الخط ٢١. إسماعيل لا يزال عاري الصدر كما اعتاد النوم، بالرغم من برودة الجو. حمل عبد الكريم المعطف وألبسه إياه، غطى به وشم ملاك الموت على ظهره، لم يترك له خياراً، راح يدفعه بيديه في اتجاه باب المطبخ المؤدي إلى الحديقة:

اقفز من الخلف، بسرعة!

الى أين أذهب؟

لم يجبه، ربط له شريط المعطف الفضفاض عند عنقه، ساعده في الارتقاء فوق السور بين شجرتَي فيكوس:

لن يعرفوك، ابتعد قبل طلوع الضوء...

وأضاف:

ردّ لي هذا المعطف إذا استطعت يوماً، إنه لفاليريا كما تعلم!

سأعود...

تردد لحظة وأضاف من أعلى السور وهو يرسم بيده شبراً ليدل إلى صغرها:

سأعود لآخذ شجرتي...

أشار عليه عبد الكريم بالإسراع في الفرار وعاد إلى الصالون ليرفع صوت ماريا كالاس من جديد وينتظر دخول العسكر عليه. أنجز فرضه.

هزئوا في سرّهم من الثياب النسائية الملونة المنثورة فوق المقاعد، فتشوا الغرف، سألوا عن إسماعيل محسن، لم يرقهم النفي والإنكار

فطلبوا من عبد الكريم العزّام مرافقتهم إلى "فرع المديرية" كما سمّوه، حيث طرحوا عليه أسئلة ساعده الضابط في الإجابة عنها بعد أن استخدم ابن عمه رياض معارفه ونفوذه لإقفال القضية. بقي منها في أحد الأدراج تقرير مقتضب حول مراقبة منزل آل العزّام للاشتباه في وجود إسماعيل محسن فيه وهو المتهم بالقيام بعمليات تفجير في العراق والمشاركة في محاولة الاعتداء على معبد هندوسي وجنح أخرى. لكن المعلومات المستقاة في حي الأميركان من "مصادر موثوقة" تفيد بأن إسماعيل هذا توفي فعلاً في العراق نتيجة عملية انتحارية، وقد رُفعت له لافتات التحية فوق أدراج الحي. وحصل دهم بيت آل العزام بعد شكوى إقلاق راحة سبّبها المدعو عبد الكريم العزام الذي أطلق الموسيقى عالية عند الفجر وقد وُجد ثملاً لم يتمكن من الإفادة حول الموضوع وأنكر بإصرار التقاءه بإسماعيل محسن، جازماً بدوره بأنه استشهد فأخلي سبيله لعدم توافر الدليل، والمرجح أن تكون صلته بالمطلوب لا تتعدى كون هذا الأخير ابن خادمة البيت.

انتصار التي جاءت سيراً على الأقدام في ساعة مبكرة من حي الأميركان، أول من انتبه إليها، كالعادة، كان عبد الرحمن المشنوق. تنزل وحدها، لا يسمع وقع خطى الصغار فلا يغيّر قناة الموضة حيث استعراض الثياب الداخلية النسائية، يفاجأ بأنها خلعت ثوبها الأسود ولم تمضِ على موت ابنها أيام معدودة. لم ترجع إلى ردائها الشرعي الذي ألبسها إياه إسماعيل، بل ارتدت سروالها الجينز الضيق الذي يعيد رسم قوامها. حيّت المشنوق، رمت نظرة على عارضات أزيائه وابتسمت له للمرة الأولى في تاريخ جيرتهما، غير عابئة بنظراته التي طاردت ردفيها

وربما تعمّدت تحريكهما وهي تخرج من الباب لتنزل الأدراج برشاقة وتعبر الشوارع خفيفة فتصل إلى منزل آل العزّام بعد انصراف رجال الأمن مصطحبين عبد الكريم. كانت تعد نفسها بلقاء إسماعيل، فلم ترد على تحرش بواب البناية المجاورة الراغب في إخبارها أن ما تسميه أغاني سبّبت كل ما حصل. وجدت باب البيت مشرعاً، فجمعت ثياب الراقصة وأعادتها إلى الخزانة، قلقت عندما وجدت سرير عبد الكريم مرتباً لم ينم فيه أحد، لكنها انتظرت. انتظرت إلى ساعة الغروب عندما أطلقوا سراحه، فظهر فجأة في الباب أمامها. خافت وهرعت نحوه فتعانقا بحركة عفوية لم يخطّطا لها. أحسّ عبد الكريم برغبة عارمة فيها، طمأنها عن إسماعيل، طوّقها بذراعيه، أغمضت عينيها وأغرقت رأسها في صدره لدقائق لم يسعى أيّ منهما خلالها إلى فك العناق.

استأنفت انتصار محسن يومياتها في "دارة عبدالله العزّام"، تجد مرتبها الشهري زائداً موضوعاً في مغلف على طاولة المطبخ، تُبعد المتسولين والحشريين، تنظف ثريات البيت بعناية مضاعفة مرة في الشهر، تهوّي ثياب فاليريا، تنتظر الربيع القريب وزهر الليمون لتصنع منه ماءً تبقى رائحته في جسمها أياماً، تغرق يديها في عجينة السميد المشبعة بالسمنة الحموية لتُعدّ المفروكة لصاحب البيت، يمازحها فتطلب منه إسماعها أغنية كارمن كما تسميها، تفكر في اليوم الذي ستبدأ فيه باصطحاب ابنتها إلى هنا وتنتظر أن يدخل إسماعيل عليهما فجأة، بعد أن جزم لها عبد الكريم بأنه عائد لا محالة ليردّ له معطف المطر وليأخذ شجرة الزعرور البري.

انظري، اسمه ملصوق عليها، اسقيها ماءً مغلياً، لا تنسي.

بقي سر إسماعيل بينهما، حتى إن انتصار، بعد أن تشاورت مع عبد الكريم، فضّلت، حرصاً على سلامة إسماعيل، تأجيل إخبار زوجها أن ابنهما على قيد الحياة في مكان قريب، فهام بلال محسن من جديد في أسواق المدينة وأدراج حي الأميركان وقد انفتحت شهيته على الكلام، فصار يروي كل يوم فصلاً جديداً من بطولاته المجهولة في ثورة باب الحديد وراح يضيف إليها أفعال ابنه الشهيد من دون أن يجد من يصبر على الإصغاء إليه.